Librería Lerner Ltda.
Av. Jiménez No 4-35
Tels: 334 7826 - 243 0567 - 282 3049
Bogotá - Colombia

Colección de Ensayo Acteón
volumen 3

Patricia Coba Gutiérrez.

De
María Magdalena
y Las Otras

La Mujer Fatal en Vargas Vila

S M D Editorial
Fondo Mixto de Cultura del Tolima

Colección de Ensayo Acteón
Volumen 3
1996

S M D Editorial
Edición al cuidado de Donald Freddy Calderón Noguera

Diseño y Fotografía: Víctor Hernández

Diagramación: Fidel C. Silva A.

Carátula: Mata Hari, óleo de Diego Pombo

Si Mañana Despierto:
Corporación para la Creación e Investigación de la Literatura
Fondo Mixto de Cultura del Tolima
Título: **De María Magdalena y las Otras**
ISBN: 958-96077-3-X

Impreso y hecho en los talleres de la Editorial Publicitaria en Santafé de Bogotá.
Corporción Si Mañana Despierto
Teléfonos: 3 34 51 34 - 3 45 25 84
A.A. 32159.

Diciembre de 1996
Santafé de Bogotá D.C.

*El verdadero hombre pretende
dos cosas: el peligro y el juego.
Por eso quiere a la mujer,
que es el juego más peligroso.*

Niestzche

Contenido

PREAMBULO

"La creación literaria de una mujer por un hombre,
de un hombre por una mujer
son creaciones ardientes".

GASTON BACHELARD
La Poética de la Ensoñación.

Duramente criticado, prohibido en su propia patria, reconocido por su radicalismo político, admirado por sus múltiples lectores o simplemente "ignorado" por las élites estudiosas de la Literatura, **JOSÉ MARÍA VARGAS VILA**, emerge de entre la amplia gama de escritores latinoamericanos, como un curioso y extraño fenómeno literario. De su vasta obra, que incluye libros de filosofía, historia, política, estética, son sus novelas las obras más atacadas.

Ante la imposibilidad de mostrar la inferioridad de la literatura de Vargas Vila, en cuanto su valor estético, la crítica tradicional ha aplicado tres valoraciones relacionadas entre sí, que distan del análisis investigativo: el mal gusto, el carácter pornográfico y su manifiesto anticlericalismo.

Prueba de lo anterior es la obra **Novelistas buenos y malos** publicada en Bilbao en 1911, en la cual el padre jesuíta Ladrón de Guevara[1] acusa a Vargas Vila de ser impío, blasfemo, desvergonzado, inventor de palabras estrambóticas y en algunas de sus obras, de una puntuación y ortografía propia de perezosos e ignorantes. El historiador de la literatura colombiana Antonio Curcio Altamar, no se queda atrás cuando afirma que Vargas Vila, por ser el detractor del matrimonio, la procreación, el amor y la virginidad, es el ser más opuesto al espíritu y a la moral cristiana.[2]

Finalmente, Cobo Borda[3] introduce el término **kitsch** o cursi para abordar la literatura Vargasviliana. Sin embargo, el autor carece de fundamentos teóricos que le permitan utilizar el término como concepto analítico y lo emplea a manera de insulto.

En la década de los 90, surge de nuevo el interés por estudiar la obra de Vargas Vila, desde otras perspectivas. Consuelo Triviño[4] empieza a mencionar la vigencia de la obra del autor colombiano y su correspondiente valor estético desde los parámetros del decadentismo, pero lo hace en términos demasiado generales.

Sobre las dos novelas, **IBIS y María Magdalena** que serán interpretadas en este libro, son pocas las referencias que existen. Por lo tanto, es indispensable tener en cuenta la ponencia presentada en el XI Congreso de la Asociación Internacional de Hispanistas, en la Universidad de California, titulada **Secularización, Liturgia y Oralidad en José María Vargas Vila**, en la cual se estudian las connotaciones ideológicas de la revisión de la imagen bíblica de Jesús[5], constituyéndose en uno de los primeros estudios de investigación sobre la novela **María Magdalena**. En cuanto a **IBIS,** los comentarios se reducen a señalar su exagerado erotismo y los suicidios provocados por su lectura, motivo por el cual ha sido denominada la "biblia de los suicidas"

Así pues, el interés de proceder a la interpretación de las dos novelas antes mencionadas, es revisar y reinterpretar sus textos para poner en evidencia, los que desde mi punto de vista, son algunos de los procesos escriturales empleados por Vargas Vila, en la conformación de las imágenes novelescas, que han sido ignorados por los "intelectuales" de la literatura.

Para analizar el carácter de la escritura de Vargas Vila, se tendrán en cuenta algunos elementos culturales enmarcados dentro de una tradición patriarcal como estructura psico-social en la que un imaginario central de carácter arquetípico—Nombre del Padre— sobredetermina las relaciones sociales a la manera de "Fundamento-Ley", va conformando un imaginario social, que se convierte en una de las fuerzas reguladoras de la vida colectiva que se expresa también en un imaginario artístico.

La metáfora paterna actúa por cuanto la primacía del falo está instaurada en el orden de la cultura. El falo es reconocido como algo diferente del pene, de una fantasía, de una imágen; podría definírselo como la creencia en la universalidad del pene, como el persistente desconocimiento de la diferencia de los sexos.

El falo pretende ser el sentido último de todo discurso, el patrón de verdad y de la propiedad, significado y significante último de todo deseo. En este sentido, el hombre suele colocarse en la literatura en un terreno al cual la mujer no tiene acceso. En este terreno, conocido como falo-logo-centrismo, la palabra del hombre se entiende como ley por ser él, el origen del significado. Es él quien construye y determina la naturaleza femenina, quien habla a través de sus personajes. Por otra parte, el texto masculino de mediados del siglo XIX, está marcado por lo libidinal, lo que ha repercutido negativamente sobre la mujer.

Con algunas contadas excepciones, a través de la literatura la imagen femenina se ha ligado a condiciones específicamente sexuales que están vinculadas a un sentido que nada tiene que ver con la mujer, "que más bien son producto de un sistema particular de significados que la apuntalan desde afuera"[6]

Como sistemas particulares de significados podemos mencionar: *la tradición bíblica*, por la cual el cuerpo de Eva fue hecho del cuerpo de Adán y es ella, la mujer, quien realiza la "caída" de la humanidad e instaura el pecado original. Estas premisas dieron paso a una combinación de conceptos misóginos, tales como: la debilidad moral y física, predisposición para ser utilizada por las fuerzas malignas o de corrupción. Más tarde, la separación platónica entre cuerpo y alma se proyectó sobre la mujer y se la consideró entonces, muy atrayente de cuerpo, pero perversa de alma y por ende, peligrosa para el hombre.

A ello hay que añadir, incidiendo directa e indirectamente en estos sentimientos de rechazo y temor del hombre hacia la mujer, los avances científicos, el desarrollo económico, el ambiente intelectual (Shopenhauer, Nietzsche, Nordau, Weininger y Lombroso entre otros, intentaron racionalizar y dar "autoridad" socio-filosófica y científica a aquellas reacciones y actitudes masculinas misóginas) y la obra de los artistas pertenecientes a los movimientos esteticista y simbolista, quienes, con la colaboración del *decadente* finisecular, ofrecerán una peculiar interpretación de la imagen femenina.

En consecuencia, a través del lenguaje hablado y escrito, se puede apreciar como el hombre ha dado lugar al nacimiento de un concepto de mujer que se ajusta a los cánones existentes en el sistema falo-logo-centrista, al cual se acoge nuestro autor a estudiar.

Las "imágenes de la misoginia" de fin de siglo, que forman un corpus sorprendente por su cantidad y las imágenes plásticas revisadas aquí, buscan su correlación —que es notable— con las literarias, a fin de poner de relieve la importancia y extensión de esa particular interpretación de la figura femenina. Por tal razón, las obras cuyas ilustraciones aparecen en este trabajo interesan por su contenido y no por sus peculiaridades formales.

Para el análisis de la imagen de la *"femme fatale"*, se ha tomado como base los estudios en el área de la Liteatura de

Mario Praz[7], el cual es cita obligada de cualquier investigador de las figuras y mitos finiseculares, como también la investigación de Erika Bornay[8], quien hace un estudio muy completo sobre los orígenes y circunstancias que dieron lugar a ese tipo de imagen.

Dado que las dos novelas son de índole carnavalesca, —modalidad de imaginario que Bajtín ha caracterizado por su concepción de una "alegre relatividad de la vida", de una conciliación de los contrarios por transgresión, subversión y cuestionamiento de los valores convencionalizados[9]— presentan diferentes tipos de imágenes de inversión, las cuales alteran la exclusión rígida de opuestos, conservando su coexistencia dinámica. Por ende, se ha tomado la investigación de María Antonieta Gómez G.[10], quien hace un estudio minucioso sobre este tipo icónico característico al género novela.

Así, iniciaremos este viaje con la tentadora presencia de la mujer, a quien, a lo largo de estas páginas, encontraremos arrastrando al hombre hacia un siniestro pozo de perversión.

Notas

[1] *LADRON DE GUEVARA. Novelistas buenos y malos.* Segunda edición. Bilbao: El mensajero del Sagrado Corazón, 1911.

[2] *CURCIO, Altamar Antonio. Evolución de la novela en Colombia.* Bogotá: Colcultura, 1976

[3] *COBO BORDA, Juan Gustavo. ¿Es posible leer a Vargas Vila? En La Alegría de leer.* Bogotá Colcultura, 1976

[4] *TRIVIÑO, Consuelo. Diario Secreto Vargas Vila.* Arango Editores 1989

[5] *GÓMEZ OCAMPO Gilberto. Secularización, Liturgia y Oralidad en José María Vargas Vila, ponencia leída en el XI Congreso de la Asociación Internacional de Hispanistas, University of California, Irvine, Agosto 1922.*

[6] *EAGLETON, Terry. Una Introducción a la Teoría Literaria.* México Fondo de Cultura Económica, p.193

[7] *PRAZ, Mario. La Carne, la Muerte y el Diablo en la Literatura Romántica. Caracas.* Monteavila. 1969

[8] *BORNAY, Erika. Las Hijas de Lilith.* Madrid: Cátedra. 1990

[9] "Llamaremos literatura Carnavalizada a aquella que haya experimentado, directa o indirectamente, a través de una serie de eslabones intermedios, la influencia de una u otra forma del folklore carnavalesco (antiguo o medieval) ". *BAJTIN, Mijail. Problemas Literarios y Estéticos*. La Habana: Editorial Arte y Literatura, 1986, p.562

[10] *GOMEZ GOYENECHE, María Antonieta. El Idioma de la Imaginería Novelesca. Bogotá: Ediciones Poiesis, 1989*

ADELA Y MARIA MAGDALENA:
DOS MUJERES FATALES

"Nosotras somos, oh, hombres mortales, las bailarinas
del deseo,
Salomés, y nuestros cuerpos se retuercen de placer.
Arrastraremos vuestras horas de goce hacia una depravación
secreta."

STUART MERRIT.

La aceptación de la denominación *femme fatale,*— en su forma francesa— con la que se designa a un tipo específico de mujer: **la mujer irresistible que conduce inevitable a los hombres hacia el peligro,** valiéndose de sus atributos físicos y de su astucia, aparece registrada en varios diccionarios de habla inglesa o hispana. No obstante, no se puede afirmar que hayan sido los franceses los inventores de la expresión. Sin embargo, fue un término surgido a posteriori de la construcción de la imagen en el campo literario, como en el de las artes plásticas y en el llamado cine negro hacia la segunda mitad del Siglo XIX.

El final del siglo XIX se caracterizó por dos tendencias complementarias: una fue el recrudecimiento de la actitud difamatoria hacia el sexo femenino, la otra, fue que la imagen misteriosa y enigmática de la "mujer fatal", al ser utilizada para embellecer toda clase de objetos funcionales y cotidianos, se vulgarizó perdiendo su encanto. La modernidad por su parte, desacralizó el cuerpo y con lo cual la eroticidad se convirtió en una producción en masa.

Más tarde la industria cinematográfica se encargó de revivir el carácter mítico de la "mujer fatal", que había fascinado a la sociedad masculina del siglo XIX. Dinamarca se convirtió rápidamente en una primera potencia cinematográfica que encontró su mercado en los países centroeuropeos, justamente, gracias a la actriz Asta Nielsen que en 1914 se convierte en el preámbulo de la "mujer fatal" en el cine, hoy "sex symbol".

Aquí se introdujo un nuevo nombre supremamente expresivo: "Vampiresa". De esa sugestiva realidad zoológica derivó el mito de la mujer vampiro. Alrededor de 1900 el vampiro representaba a la mujer en tanto que personificación de todo lo negativo que se vinculaba al sexo, la posesión y el dinero. Simbolizaban la estéril sed de la mujer-niña sin inteligencia, instintivamente poliándrica aunque fuese virgen. También representaba el ansia igualmente estéril de dinero de la prostituta y de la esposa del burgués. Como escribe Morin[11], la "vamp", surgida de las mitologías nórdicas y la gran prostituta, surgida de las mitologías mediterráneas, tan pronto se distinguen como se confunden en el seno del gran arquetipo de la "**mujer fatal**".

Los arqueólogos del cine Americano aseguran que es con Theda Bara, anagrama de las palabras "Muerte Árabe", (*Arab Death*, en inglés), con su larga cabellera, mirada hipnótica, con el título de *The Wickedest Woman in the Word* (La Mujer más Perversa del Mundo), donde las quimeras eróticas masculinas recuperaron su potencial expresivo.

Cuando Vargas Vila publica la novela **IBIS** en 1899, las características físicas y psicológicas de la **mujer fatal** ya habían sido determinadas y formaban parte de un imaginario social, a la manera de creencias, y como tales, articulaban un sistema no lógico sino vital[12]. En ésta novela, Vargas Vila, haciendo gala de una vasta erudición, se encarga de desarrollar, ampliar el concepto y afirmar la imagen de la **mujer fatal.**

Dicha imagen será estudiada en el presente capítulo, a partir de **La inversión de la imagen de Adela** y **Una historia de Relaciones perversas.**

LA INVERSION DE LA IMAGEN DE ADELA

Entre las diversas funciones que una mujer puede desempeñar en una relación amorosa, la literatura escrita por hombres ha modelado, en un esquema creador de tradición, también aquella función que confiere a la mujer un atractivo irresistible y un carácter mágico-demoníaco, mediante los cuales ella no sólo vincula consigo eróticamente al hombre, sino que también le desvía de sus intereses y tareas "superiores", socava su moral y casi siempre le hunde en la muerte y/o la desgracia. Sin embargo, esta vinculación no siempre es de índole puramente negativa, sino que con frecuencia es ambivalente, ya que ella depara al hombre seducido un máximun de satisfacción amorosa.

Vargas Vila se vale de este "esquema" o procedimiento para construir muchas de sus novelas. **IBIS** y **MARIA MAGDA-LENA**, publicadas en 1899 y 1912 respectivamente, son ejemplos de la utilización de estereotipos más comunes y si se quiere ofensivos sobre la mujer y la diferencia entre lo masculino y lo femenino, como vamos a ver.

La primera parte de **IBIS**, comienza con una carta enviada por el Maestro (intelectual que se encuentra "más allá del bien y el mal"), a su discípulo Teodoro. La misiva se encarga de presentar la tesis central de la novela: *Teme al amor como a la Muerte./ El es la muerte misma./ Por él nacemos y por él morimos./ íSeamos fuertes para vivir sin él!/El es la maldición*[13]*/*. El tono dramático y sentencioso logra despertar la curiosidad del lector. De alguna manera, reaviva los ideales del superhombre Nietzscheano que no sufre la "debilidad" del amor.

Para darle validez a la tesis presentada, el narrador procede a realizar un recorrido mítico-histórico a través de personajes femeninos emparentados con la destrucción y/o la muerte: Eva-seducción, Dalila - destrucción, Judit - mutilación, y Magdalena-tentación. Los adjetivos en gradación ascendente, con los que caracteriza a cada una de ellas, refuerzan la idea de peligrosidad de las mujeres. ¿Quién no sentiría miedo, si son sinónimo de Muerte?

La lógica inmanente del texto descansa en las siguientes proposiciones: el Amor es Muerte, el Amor es Mujer, por lo tanto, la Mujer es Amor y Muerte, conjugación entre Eros y Tánatos, pulsión erótica vital/ pulsión destructiva fatal.

La destrucción de grandes hombres de la historia —Adán, Sansón, Salomón, entre otros— a causa de una mujer fue un tema constante en la Edad Media. Existen muchas imágenes no religiosas de la época, de hombres humillados y golpeados por sus mujeres. Si éstos aparecen agachados, con las manos y los pies en el suelo, "al modo de un animal y la esposa está sentada sobre sus espaldas son identificados con la figura del filósofo Aristóteles a quien Filis, la esposa (o amante) de Alejandro Magno, supuestamente sedujo y humilló[14]

Vargas Vila, retoma la imagen precedente, cuya significación semántico-formal es contextualmente inversora de contenidos simbólicos culturales: Aristóteles símbolo de la sabiduría y grandeza, es ridiculizado y puesto en cuatro como un animal a causa de una mujer, en consecuencia ésta debe ser humillada: *Es la hembra a horcajadas sobre Aristóteles;/la magia de los siete espíritus grita en su vientre./ ¡Pónla en la tierra y dómala!/Humilladora de la sabiduría./ ¡Humíllala!/*

Encontramos aquí un **Intericonismo inversor reafirmativo[15]**, en donde no se presenta una elaboración oposicional, sino una reafirmación del valor simbólico, ideológico y estético de la imagen pictórica anterior, transferida a otro espacio ficcional: el de la novela. En cambio, las imágenes de Dalila y Judit son ejemplos de un **Intericonismo inversor oposicional**, porque "invierten por oposición un modelo de imagen antecedente, creada ficcionalmente o con un referente real, por un autor."[16] De esta manera, el texto Bíblico que muestra dos heroícas mujeres que salvan a sus pueblos de la humillación y el sometimiento; cortándole la cabellera a Sansón, la primera, y decapitando a Holofernes, la segunda, son transformadas en "Mujeres fatales", que disfrutan de su tarea con evidente placer orgásmico.

En este sentido, la Judit de Vargas Vila, está emparentada con las representaciones realizadas por el pintor vienés Gustav Klimt —contemporáneo del escritor—, en las que aparece como una *ejecutora* en la que el placer por la decapitación del hombre es tan evidente, que se relaciona con el orgasmo femenino, tal como lo evidencia la expresión de su rostro y la posición de las manos.

La castración simbólica, el anhelo femenino de la cabeza separada del tronco, era obviamente el acto supremo de la sumisión física del hombre al deseo depredador de la mujer. Así, Vargas Vila erotiza a las mujeres bíblicas, cuestionando los sacrosantos principios de una sociedad conservadora como la Colombiana, e hiriendo a los mojigatos con la representación de arquetipos sexuales.

Ante la presencia de tales mujeres no queda más remedio que disfrutar de su compañía, sin caer en el Amor: *Ama el placer. No ames el Amor./ Ama a la mujer, diosa de la carne. Ámala por su carne solamente/* Esa es la doctrina del Maestro. Pienso luego existo" dijo Descartes reduciendo el "yo"

*Gustav Klimt, **Judit I**, 1901, óleo 84 x 42.*
*Esta Judit no es la heroína histórica, sino una típica "**mujer fatal**",*
que disfruta con su tarea

Gustav Klim. Judit II (Salomé), 1909, óleo, 180 x 46
Klim ha pintado a ojos vista, el orgasmo femenino y el retrato de la mujer fatal.

a la supremacía de la razón; "No amo, luego existo" parece ser la fórmula sugerida por el maestro, para protegerse del mundo femenino, mundo que le produce miedo. Por ello, para defenderse, emplea un tono sentencioso y categórico.

La segunda parte, nos muestra a Teodoro, joven brillante e inteligente, quien a pesar de creerse excento del amor, se encuentra perturbado por el recuerdo de la novicia, la cual conoció el día de la muerte de su madre. Posteriormente, enamorado de ella, la rapta del convento y la seduce.

Esta huérfana que vive en un convento y ha pasado por una infancia enclaustrada, y una niñez sin afecto, encaja en la imagen Victoriana, de mujer virginal, dulce e inocente que además está emparentada con la imagen de la virgen María, imagen cristiana de la mujer.

No se debe olvidar, que el primer encuentro entre Teodoro y Adela, se produce junto al lecho de la madre moribunda del joven poeta. Adela como mujer piadosa, cierra los ojos a la difunta mientras copiosas lágrimas corren por su rostro. Pareciera que ella se realizara a través del sufrimiento y la renuncia a todo tipo de contacto mundano: virgen-reclusa y mística.

La imagen germinal, de la novicia vestida de blanco, de lánguido y delgado cuerpo, da paso a otra: la imagen del IBIS, ave semejante a la cigüeña, de plumaje blanco, animal impuro según la Biblia, sagrado para otras culturas que encarna en sí, lo sagrado y lo profano. Hermosa imagen ambivalente, que reúne a su vez a Eros y Tánatos como veremos posteriormente.

A partir de la imagen del ave, la imagen de Adela deviene en una significación de elevación espiritual y trascendencia; imagen aérea, realzada por diferentes símbolos de pureza: *blanca aparición, inmenso lirio, mano tenue y alba, pájaro sagrado, belleza ideal, virgen romántica, etc*. Todas estas expresiones apuntan a la pureza que sólo la Mujer-María puede ser, porque ella es en realidad la *"no mujer"*, la mujer *"desexualizada"*, la que fue concebida y concibió a su vez sin el pecado en oposición a Eva, de la cual la mujer común es hija. La sublimación del miedo por la mujer se expresa en la adoración y veneración de la mujer virgen, porque supuestamente no es "peligrosa"[17]

Un procedimiento que caracteriza la escritura de Vargas Vila, es la transformación de los personajes mediante radicales procesos de inversión, que son denominados por Gómez Goyeneche **"imágenes de inversión"**. En las imágenes de inversión, que en este caso, son por **conversión gradual,** se pasa de una atribución positiva a otra negativa en un mismo sujeto de imagen, pero no de manera inmediata[18].

Así, por ejemplo, la imagen pura de Adela empieza a transformarse gradualmente, mediante dos elementos mediales: su despertar a la sexualidad y una fiebre puerperal que la llevó a las puertas de la muerte. Gracias al primer elemento, su cabellera antes trenzada, símbolo de su sexualidad reprimida, aparece ahora suelta y alborotada, su cuerpo antes delgado, toma *redondeces amplias que embellecen las curvas de su cuerpo/* tornándolo en provocativo y exuberante, de mujer asexuada y pura pasa a mujer lujuriosa, de *temperamento voluptuoso y mórbido/.*

El segundo elemento medial, continua el proceso de transfiguración de la imagen. La Adela que renace al vencer la muerte, es una mujer endurecida a quien no conmueve ni la pérdida de su hijo, ni su matrimonio en artículo mortis. Esta Adela posee la belleza fría y quemante del hielo, es en palabras del narrador: *la mujer hecha para sembrar la turbación y el Deseo/para inspirar el Amor sin sentirlo,/ en su pecho de hielo, es la mujer infame, adúltera,/ es el triunfo del vicio y la depravación sobre la virtud/* A partir de este momento Adela se ha convertido en una verdadera "femme fatale" y en consecuencia destruirá a Teodoro mediante sucesivos adulterios hasta el extremo de engañarlo con Rodolfo, hermano de su marido.

La mujer es la maldición y la perdición del hombre, porque satisface conjuntamente a Eros durante el placer sexualizado que puede producir los momentos de encuentro o durante el placer imaginario de la ausencia, y a Tánatos puesto que ese mismo otro lleva efectivamente en sí el riesgo de muerte y a veces de asesinato (dos riesgos equivalentes en este caso en cuanto a los posibles resultados para el sujeto mismo).

Tal como lo ha sostenido el Maestro, si el objeto de pasión tiene la extraña aptitud de satisfacer conjuntamente a Eros y a Tánatos, la supremacía del sufrimiento, así como el deseo de no sufrir más y de no desear más, que puede resultar de él, demuestran que la elección del objeto es más tarea de Tánatos, que de Eros.[19]

Ahora bien, en esta novela, las imágenes de inversión por conversión gradual no son exclusivas de los personajes femeninos; también Teodoro y el Maestro sufren transformaciones valorativas opuestas. En el caso del Maestro, por ejemplo, la imagen materna juega un papel importante para entender la imagen utensiliar posterior que genera su cambio. Mediante un proceso de idealización, la imagen materna ha sido internalizada, con tal intensidad que se convierte en su Dios, "ícono bendito" y venerado, en contraposición a las demás mujeres.

Como bien anota Badinter, el mito del instinto materno, es especialmente dañino para los hijos hombres. La pareja madre-hijo forman una unidad que dentro del contexto patriarcal, refuerza la simbiosis entre los dos integrantes de la pareja, más aún, cuando el padre no se ocupa de la "crianza" de los hijos. En el justo equilibrio entre una madre ni demasiado cercana, ni demasiado lejana, está el sentimiento de identidad masculina del niño y de sus futuras relaciones con las mujeres: "Cuanto más pesan las madres sobre sus hijos, más le temen éstos a las mujeres, más les huyen o más las oprimen"[20]

La creación del paradigma: mujer - reproductora - criadora, —que aún persiste— entra en franca contradicción con el otro: mujer - sexo - muerte. Ambos modelos, suponen o contienen en sí, el papel masculino: hombre - producción - cultura, lo cual enfrenta lo masculino y lo femenino en una maniquea lógica disyuntiva.

De esta manera, tras la muerte de su ídolo, el Maestro atraviesa por una etapa de misticismo, producto de la religiosidad exagerada con la que fue educado por su madre; que se caracteriza por una fe profunda y un fanatismo irracional, la cual culmina en su adolescencia, cuando en unas vacaciones conoce a la: *Suprema tentadora: ¡La mujer!* quien le enseña los misterios del amor.

La imagen medial de la mujer es, de este modo, una clave dentro de todo el proceso transformacional de esta modalidad icónica, ya que al intervenir un segundo elemento asegura que los extremos icónicos se conjuguen, se relativicen y se asimilen. De tal manera, que al regresar al colegio, su fe religiosa muere para siempre. En su lugar, emerge el luchador y enemigo acérrimo de la religión. Ninguna mujer volverá a ocupar el puesto privilegiado de su madre, porque la mujer es el símbolo de la perdición. De ahí en adelante, se deleitará con el cuerpo femenino pero no amará a la mujer. De religioso solitario, su imagen deviene en la del libertino.

El erotismo, en este caso, se encarna en dos figuras emblemáticas: "la del religioso solitario y la del Libertino". Aparentemente la oposición los hace irreconciliables, pero tienen en común que ambos polos niegan la reproducción y son opciones de salvación o de liberación personal frente a un mundo perverso. En este sentido, el Maestro y Teodoro encarnan lo eximio, almas superiores frente a la mujer que es lo ruin y malévolo: mundo también perverso.

Teodoro sufre el proceso inverso, la imagen medial de Adela, cambia su racionalidad en locura, su fortaleza en debilidad, pasa de seductor a seducido, de digno a indigno, de amigo del Maestro a enemigo.

Finalmente, cuando Teodoro descubre la nueva naturaleza de Adela, y comprueba su infidelidad, al encontrarla en brazos de Rodolfo, recuerda la carta enviada por el Maestro: *Mátala, habrás recobrado la dignidad de tu vida/Mátate y te habrás redimido con la dignidad de tu muerte/Mátala o mátate./* El amor que siente por ella le impide la primera alternativa, entonces, la arroja de su casa con la plena consciencia de no poder vivir sin ella. Luego se suicida.

Esta visión apocalíptica de las relaciones amorosas, explica en parte, que esta novela fuera denominada "la Biblia del suicidio", por la racha de muertes que provocó después de su publicación.

RELACIONES PERVERSAS

Al interior de la novela histórica **MARÍA MAGDALENA** encontramos a Judas de Kerioth y Jesús de Nazaret interesados en la misma mujer. Este triángulo amoroso, tiene la particularidad de presentar a Jesús "con inocultable apariencia humana, demasiado humana para su condición de profeta" según la opinión del crítico Curcio, motivo por el cual esta obra fue ampliamente censurada[21].

María Magdalena, "manzana de la discordia", aparece en la primera parte de la novela en un estado de inconformidad y sometimiento, es decir, que su relación con Judas, la hace experimentar una sensación de carencia afectiva. Este inicio, permite que la ruptura o separación de los amantes se presente como un acontecimiento latente, a punto de desencadenarse en cualquier momento.

Contraria a su condición de cortesana, María Magdalena, desea un amor espiritual, no en vano se queja con Sara, su criada: *El Amor nace, y, no ha nacido en mi el Amor;/Judas, es bello, yo amo su ojos de pervencha,/ su cuerpo de gladiador, hábil y fuerte …/ pero, no amo sino su cuerpo; como el ama el mío/ nuestras almas no se conocen, no se han visto nunca;/ tal vez no se verán jamás./*[22]

La inconformidad se plantea en dos sentidos: el afectivo, donde ella dice estar hastiada del placer de la carne, y proclama un sentimiento diferente, opuesto al amor-pasión que Judas le ofrece y en segundo término, está la inconformidad política: Judas como miembro de las clases aristocráticas y distinguidas, es romanizante, es amigo del Pretor y por lo tanto enemigo ideológico potencial de las ideas contrarias representadas por Jesús y la muchedumbre. Magdalena por su situación de sometimiento, ha ocultado el odio que siente por los romanos, permaneciendo leal a los galileos,lo que no le permite lograr una identificación total con su "amante".

La oposición entre poder y sometimiento está justificada en la novela, mediante un relato introductorio que da explicación de las razones por las cuales María Magdalena se encuentra como prostituta, corroborando la represión de que es, y ha sido, objeto hasta el momento de su relación con Judas.

Surge, entonces la evocación de su primo, Samuel de Sichem, el adolescente que fuera su primer amor, con quien descubrió las delicias del amor sexual. A partir del momento en que fueron descubiertos por el padre de Magdalena, empiezan la cadena de humillaciones: *yo, fui víctima de la sevicia de mi padre,/ que se encarnizó, contra mi debilidad;/ pocos días después logré escapar del castillo de Magdalo../*

La represión o sometimiento es introducida por el padre, como efecto o consecuencia de la desobediencia de las normas morales impuestas por la sociedad judía-romana. María Magdalena, como "infractora" debe recibir un castigo, no sólo por violar las leyes hechas por los hombres, sino también por la capacidad demostrada de disfrutar eróticamente su cuerpo y manejar autónomamente su sexualidad; características que como se comentarán en el capítulo siguiente, son cargadas negativamente y sirven para sustentar la "naturaleza impura" de la mujer.

En este sentido, se hace pertinente el aporte de Luce Irigaray, cuando plantea que la división social del trabajo en lo referente a la sexualidad, exige que la mujer haga de su cuerpo el sustento material del deseo masculino, pero sin acceder al deseo mismo. En tanto madre, reitera Irigaray, la mujer permanece al lado de la naturaleza: Será la reproductora de la especie y por lo tanto, para garantizar la paternidad y el derecho de herencia, será propiedad privada prohibida a los intercambios. Si es virgen, su virginidad será el objeto codiciado y en cuanto prostituta es la prostitución el uso que se intercambia generando el rechazo social. De cualquier manera, su cuerpo le es ajeno, el placer le es vedado, su sexualidad y eroticidad son negadas, admitiendo únicamente el modelo masculino[23].

El castigo a que es sometida Magdalena, conlleva la humillación y la desvalorización de su imagen de mujer, lo que permite que el sometimiento y la represión social se ejerzan sin control alguno: debe someterse al poder paterno y posteriormente al poder masculino, es decir, establecer relaciones dominante/dominado. Su posterior huida del castillo de Magdalo, lo único que hace es confirmar su estado de sometimiento social y su inconformidad. Las circunstancias adversas hacen que María Magdalena, termine ejerciendo la profesión de meretriz, desvalorizando más su imagen. La actividad que desarrolla Magdalena, que en el contexto socio-cultural correspondiente incumbe exclusivamente a la mujer; permite que en tanto meretriz sea implícitamente tolerada y explícitamente condenada, situación ambivalente.

El estatus desvalorizado de María Magdalena, le facilita a Judas desear el amor-pasión representado en el cuerpo femenino, cuerpo que le "pertenece". Por esta razón cuando Magdalena le reprocha: *"Tú no amas, sino mi cuerpo"*; la respuesta de Judas es clara y determinante: *"es lo sólo adorable que hay en ti, como en todas las mujeres"*.

En este sentido, esta afirmación conlleva un juicio de valor en relación con el cuerpo femenino, que corresponde a una cierta forma de organización de la sociedad, más concretamente a una sociedad que está basada en la producción de mercancías, y en donde la mujer, su cuerpo específicamente, se convierte en objeto[24], lo cual no correspondería con la época histórica de la novela.

Es más, María Magdalena es posible que haya sido cortesana, pero cortesana, en aquella cultura, no era lo que se dice hoy una ramera. Baste decir que, en Roma, las cortesanas estaban tan consideras socialmente, que las damas de más elevada alcurnia se inscribían por puro esnobismo, en el registro público de las prostitutas; y que en la misma Galilea, concretamente en Cesarea Marítima, a una cortesana como Berenice, el pueblo le levantó una estatua.

Teniendo en cuenta, que aquella sociedad no es la nuestra y que, por tanto, desde nuestra óptica y tal como lo presenta el narrador, en tanto objetos, las mujeres entran en el campo de circulación de mercancías, siendo sujetos de uso y portadoras de valor de cambio[25]. Por lo tanto su valor reside en la posibilidad de ser intercambiadas, comparadas con otra mujer-mercancía, en función de su equivalencia a los deseos masculinos. Así, las mujeres-mercancías están sometidas a una escisión que las divide en *"Corps-matière et précieuse enveloppe mais insondable, inaprehensible"*.

Ahora bien, retomando las palabras de María Magdalena, en su charla con Sara, ella asume conscientemente, que sólo desea el cuerpo de Judas, lo cual la sitúa en posición de "igualdad": su relación con Judas, es una relación de intercambio de cuerpos. En este sentido, María Magdalena procede con autonomía, determina un hacer con su cuerpo y no se niega el placer que éste pueda prodigarle, no necesita del "Amor" para sentir y disfrutar el sexo. Aquí, está ejerciendo el poder sexual, y no parece inconforme por ello. Ser y no Parecer se unen, **ese es el secreto** de Magdalena.

Hábilmente, se ha tejido la "aparente" necesidad de un amor espiritual, que coloca en franca contradicción a Judas y María

Magdalena., pero se hace necesario que ocurra un incidente o un evento que lleve la historia en otra dirección y al igual que en el cine, el narrador nos presenta el **primer punto de giro**: María Magdalena, asomada en la ventana, ve a Jesús y queda impresionada, no por sus palabras, sino por su belleza.

A su vez, la hermosura de Magdalena ha deslumbrado al Cristo. La mezcla de los versículos de Lucas (14, 24-33) y Juan (10, 1-10), adquieren otro sentido en boca de este Jesús, se convierten en discurso paródico, y por lo tanto ambivalente. Tal como señala Bajtín, la *"palabra altamente autorizada y sagrada de la Biblia, el Evangelio, los apóstoles, los padres y maestros de la Iglesia"*, fue una palabra ajena que se introdujo constantemente en el contexto de la literatura medieval; con una variada gama de actitudes frente a la cita, partiendo de la cita respetuosa hasta el uso paródico-travestista más obsceno. En el caso de Vargas Vila, la parodia sacra deviene en una ridiculización paródica.[26]

El "Pastor que busca las ovejas extraviadas", ha venido para encontrar a una sola, a María Magdalena, por consiguiente la parte final de su prédica es una invitación clara y elocuente:/ *TOMA TU CRUZ Y SÍGUEME; y diciendo estas palabras, alza la mano imperiosa hacia la ventana./*

La historia es ahora, cómo seducir a Jesús. Y para alcanzar sus propósitos Magdalena entra en discordia con Judas, rechaza sus besos, sus caricias, lo desdeña: *...ven, Magdalena, ven, que yo soy bueno, / y aplacaré en tu sangre los ardores que despertó en ella el Nazareno.../ No, ahora no, déjame esta noche./*

Entonces, no es extraño, que en el siguiente capítulo, María Magdalena esté sumida en una intensa agitación erótica, ella misma es un fuego que no está inmóvil. En la soledad de su alcoba, reconstruye los ojos, la boca, la voz y ese cuerpo, en el cual ella presiente al hombre felino, el león dormido, dispuesto a la batalla del Amor; del amor de la carne; y el cual ella está dispuesta a brindarle. El cuerpo divino de Cristo ha sido erotizado, animalizado y convertido en presencia corpórea: / *Tu cuerpo, que tiene temblores felinos, bajo los / lirios de tus vestiduras, revela que hay en él/ la fuerza y la vida, del arco enhiesto, y la ballesta tendida; y la virilidad esquiva y/ bravía, del león joven de la serranía./ Oh ¡quién te pudiera ver, rendido al amanecer, tras una noche de amor ... temblando en mi seno, ebrio del veneno de mi corazón.*

El conflicto ha quedado planteado, Magdalena buscará por todos los medios seducir al Nazareno y para lograrlo debe superar varios obstáculos, entre ellos terminar definitivamente su relación con Judas (quien ya sospecha de sus intenciones) y así, propiciar el encuentro con Jesús. Buscará por todos los medios realizar su sueño de *Violar ese lirio, ese divino lirio./* Si entre los tipos simbólicos, con los cuales se deleitaba la fantasía de la Edad Media, era el de la muchacha perseguida, porque era una manera de perseguir a la virtud, aquí hay que perseguir al "lirio sagrado", a Cristo, que es el símbolo de la pureza.

Un hecho muy significativo es que Vargas Vila dedique un capítulo entero, para hacer la recreación del deseo que consume durante toda una noche a María Magdalena. En la pira de su deseo, se avivan también los fuegos de posesión, de la inteligencia y el artificio para conseguir la satisfacción de su necesidad sexual.

¿La mujer lúbrica es entonces una hábil manipuladora? ¿La eroticidad, dispara la perversidad innata de la mujer?. Estas son algunos de las sugerencias que Vargas Vila elabora en éstas dos novelas..

MARÍA MAGDALENA Y JESÚS

En este cuadro los rasgos característicos de María Magdalena son la sexualidad y el pecado. El capítulo dedicado a exaltar su capacidad erótica, y su condición de Meretriz está en franca contradicción con Jesús que es visto por los demás como el hombre virtuoso, asexuado y puro, que además hace milagros.

Ciertamente, es en Vargas Vila donde encontraremos con mayor frecuencia el énfasis en lo carnavalesco, como espacio que favorece con su interpolación de valores, la constante mutación de la identidad y la alteridad. Por lo tanto, la incorporación de otros textos literarios en el texto presente, tiene diversas premeditaciones: "parodia y sátira". Lo que aparece en el Nuevo Testamento, con calidad de verdad absoluta, en las versiones de Juan 9,1 y Mateo 9, 1-27, pasa a convertirse en rumor, en chisme de una multitud, que cuenta, como tantas otras cosas, los milagros de Jesús. Se cita aquí la afirmación ajena: *"las creencias de cierta comunidad dicen que..."*, haciendo que el locutor produzca el discurso, pero en función de retransmisor, no comprometiéndose con la verdad o negación de esas afirmaciones. El carácter divino de Jesús queda relativizado, parece el espíritu de Dios, pero no lo es, y, a lo largo de la novela esta tesis queda afirmada.

Ahora, se hace necesario un primer hacer persuasivo, efectuado por Magdalena para poder acercarse a Jesús: Asistir a sus sermones callejeros. Para tal efecto, escoge un vestido rojo, una gasa transparente para cubrir su rostro y cabellera, adornos para sus brazos y cuello. Es decir, hace todo lo posible por llamar la atención de Jesús, y lo logra. La muchedumbre es la primera en detectarla y cuando están a punto de lapidarla Jesús pregunta:

— *¿Quién es esa mujer? ¿porqué la maltratáis?*

— *Maestro, dijo una mujer, ésa es la pecadora;*

— *y ¿quién es la pecadora?*

— *La Meretriz...*

— *y ¿qué es la Meretriz?*

— *Aquella que prodiga el amor;*

— *El Amor ... y ¿cuál de vosotros, no ha dado, no da, o no dará el Amor? ¡ ay de aquella que no da el amor ! ¡su vientre estéril, no florecerá jamás !*

¡ay de aquella que ignoró el Amor ! esa ignoró la vida; y por haber ignorado el reino del Amor que está en la tierra, ella no entrará al reino de mi padre que ésta en los cielos.

De manera hábil, Jesús conduce a su interlocutora paso a paso, para que al precisar su definición de **meretriz,** concluya en:

mujer que brinda **Amor.** A partir del término Amor asimilado a sexo, Jesús construye un discurso mediante el cual redime a la prostituta y la coloca en igualdad de condiciones con la mujer virgen: Todas las mujeres son, o sueñan con ser prostitutas: todas sueñan con el sexo.

Se reitera la idea ya expuesta en **IBIS,** el cuerpo virgen alberga deseos más intensos, presiente los placeres, porque en el cuerpo de la mujer virgen, —tan alabado por la religión católica— es donde el instinto palpita con mayor violencia. La mujer asexuada está más inmersa en su corporeidad, más afectada por ella, que la mujer pública o la prostituta. La adolescente, que es "lirio místico", "albo cisne", "blancura. sin mancha", también posee dentro de sí a **"la sombra negra":** el testimonio de los sentidos. Por lo tanto Adela y María Magdalena experimentan la inclinación e impureza inherentes a su condición femenina y han actuado con consciente provocación frente a los hombres, porque son vírgenes.

Cuando Magdalena temblorosa le dice al Nazareno: *Señor: Yo soy una hembra de Amor;/ yo, di mi cuerpo a los hombres./* Jesús no vacila en responderle: *La mujer es nacida para el Amor, y el cuerpo de la Hembra, es hecho para el cuerpo del varón, sin eso moriría el mundo./* Como se dijo anteriormente, la palabra Amor es usada para reemplazar el término sexo; de esta manera se logra sublimar, e idealizar, el significado de lo sexual, además de atribuirle a la mujer una naturaleza que la hace proclive al sexo y determinarle categóricamente su elección sexual al cuerpo masculino. La mujer es ajena a su propia elección, Dios, la sociedad, y los otros, eligen por ella.

Posteriormente hace una exaltación de la Mujer como representante del Amor - pasión, ella es la "ofrenda de la naturaleza a la vida", gracias a ella los hombres han conocido y disfrutado del secreto de la carne, su cuerpo es el altar y el templo que acoge a todos los peregrinos de la tierra. La mujer prostituta como María Magdalena es la bendición para la humanidad.

La simpatía por la prostituta, como anota Hauser, que los decadentes y románticos comparten, es toda la expresión de rebelión contra la sociedad burguesa. "Destruye no sólo la organización moral y social del sentimiento, sino también las bases mismas del sentimiento. Es fría en medio de las tormentas de la pasión, es y se mantiene espectadora por encima de la lujuria que despierta".[27]

Jesús resalta las cualidades del amor-pasión, reivindica a María Magdalena y con ella a la mujer prostituta. Es tal el impacto que podría afirmarse que Jesús ha sido tocado por una de las flechas de cupido. Por tal motivo, cuando las mujeres de Judea empiezan a murmurar asustadas ante tan ferviente discurso, Jesús, logra atenuar su discurso: *No os asustéis, mujeres de Judea,/ porque ése es vuestro destino, y, la voluntad de/ mi Padre, os creó para el Amor; perpetuar la vida por el Amor,/ es el solo fin de la naturaleza;/ no pecar, es el único pecado en el Amor;/ sólo aquella que no peca, esa es la Pecadora / Sólo aquella que no da el Amor, y no se da al Amor, ésa es la Meretriz... esa es la amante del mal, y la esposa del pecado./*

Aquí, ya retoma el Amor-Sexo como fin para perpetuar la vida, en suma el destino de la mujer es otorgar sexo para aplacar el deseo del hombre o dar hijos al mundo. (En ningún momento ha dicho que el destino del hombre sea el Amor, solamente ha mencionado que él, Jesús, es el Amor) Volvemos al punto inicial: la dicotomía entre Madres y pecadoras, sobre la cual dictaminan las leyes hechas por los hombres. Interesante parodia, lograda mediante la inversión de los valores. Gracias a ese relativismo de los valores, Jesús **Es y No Parece.**

Cuando Jesús, perdona a Magdalena, y ella avanza arrepentida a ungirle los pies al Nazareno, la atmósfera se ha cargado de sensualidad, el olor a nardo hace tibio el ambiente, mariposas blancas revolotean sobre la cabeza del Maestro, *"que parecía sumido en éxtasis".* Así, la imagen de Jesús sufre un proceso de inversión por conversión gradual, donde María Magdalena es la imagen medial que posibilita la transmutación de imagen: de hombre casto y asexuado a hombre lúbrico y sensual.

María Magdalena ha dado un paso importante en su conquista, pero para que la novela sostenga su interés narrativo, ella ahora tiene que resolver su situación con Judas.

Los encuentros entre Judas y Magdalena se han producido en la "casa del Escándalo; la casa de la Pecadora". La intimidad de las habitaciones, donde se pueden esconder toda clase de secretos y de acciones, ha sido la cómplice de sus amores.

43

De acuerdo con Durand[28], en el simbolismo de la casa se reconoce un doblete microcósmico del cuerpo, tanto del cuerpo material como del corpus mental. La casa, sobredetermina la personalidad de quien la habita. La casa de María Magdalena, descrita con meticulosidad de guión cinematográfico en el primer capítulo de la novela, es voluptuosa como ella misma, pisos cubiertos por alfombras, cojines rojos, fragancia de nardos, ambiente propicio para el amor.

Sin embargo, los colores que van del rojo al azul, no son los colores del fuego sexualizado, la luz se hace tenue, la incertidumbre parece teñir cada objeto. La interioridad de la casa y María Magdalena misma están inquietas. Nuevamente los colores blancos, colores preferidos por Vargas Vila, irrumpen en la estancia, pero ahora son los colores fríos, colores que se tornan espectrales. El verdor de noche, que la convierte en agua densa, agua oscura, que Bachelard[29] estudia en el agua profunda de las metáforas de Poe; agua que tiene que ensombrecerse, que va a absorber el negro sufrimiento, es el preludio para la confesión que Magdalena debe hacerle a Judas. Aquí, Magdalena se convierte en agua impura, insalubre y traicionera, pero igual de inquietante para el amante apasionado.

Judas reclama por el silencio de su amada, no cree en el amor que ella dice tener por el Nazareno; María Magdalena, que todo el tiempo ha sido carnalidad, en este momento le reprocha a Judas su falta de espiritualidad; los celos, la ira y la humillación se mezclan en él e intenta chantajearla con la destrucción de Jesús, luego, intenta persuadirla con súplicas, caricias, y promesas, y ante la inminente negativa, *desnudando el puñal, que llevaba en el cinto, la viola.* Mediante esta escena de violencia la separación entre María Magdalena y Judas queda establecida definitivamente.

A partir de este momento, María Magdalena no retrocederá en su empresa de seducir a Jesús y para tal efecto una noche, mientras él ora, se aparece "casualmente" y no sólo le confiesa la naturaleza de su amor por él si no que: *se encarniza en besos asesinos,/y, sus brazos que se agitan/con los gestos convulsos de las alas de un/ buitre que devorara a un cordero... y, devorado/ fue por el pecado el cordero de Dios, que había venido a redimir los pecados del Mundo/*

La Sacralización, el entorno idealizante y de fe de la imagen del hijo de Dios pasa a una dimensión corriente, a una desentronización, a una parodia que desestabiliza y se burla sarcásticamente de la fórmula icónica convencional de la religión católica. Una clásico ejemplo de intericonismo inversor oposicional de índole teológica.

Vargas Vila utiliza la parodia como contra puerta escritual con toda una intencionalidad ideológica de desacralización del mundo. Muchos otros autores del llamado boom latinoamericano, entre ellos Carlos Fuentes[30] (quien en *Terra Nostra*, invierte la anunciación y nacimiento de Jesucristo, mostrando un José bravucón, comilón y buen bebedor que saca a María de su casa y la golpea cuando le informa que está embarazada) utilizan el intericonismo inversor, subvirtiendo la fórmula icónica establecida, sin que por ello sea vetada su obra. En este aspecto, Vargas Vila se anticipó al boom. Sin embargo, a él, en Colombia la crítica sumergida en la estética funcional del costumbrismo y el romanticismo de Caro, Pombo e Isaacs, no le perdonan el efecto paródico de sus novelas y por lo tanto lo juzgan: **"tal intención, ya patológica, de mostrar a los santos como seres monstruosos y vencidos o abyectos sexualmente: por su furia inconoclasta contra el amor, el matrimonio, la procreación: ...más extraño y más opuesto al espíritu y a la moral del Cristianismo".**[31]

La forma considerada religiosa y particularmente eclesiástica, no es más que una de las traducciones posibles de lo "sagrado" para cierto tipo de culturas, capaces de expresarse en variedad de lenguajes, a través de los cuales se despliega la imaginación colectiva de los hombres.

La fórmula icónica se consolida junto con una determinada concepción, ideología o, en el caso de la dimensión teológica, de una fe y su transmisión a lo largo de las generaciones. En el catolicismo, por ejemplo, nacimiento, vida, muerte y resurrección de Jesús, están ligados no sólo con creencias, sino también a determinadas imágenes que funcionan como estabilización y fijación icónica que logran un registro en la memoria de amplio alcance.

Las imágenes-creencias, cuyo carácter consiste en ser evidentes e indiscutibles, son lo sagrado mismo. Todo enjuiciamiento, toda interrogación, transforma a quien la realiza en herético y abominable. Bajo este criterio, la obra de Vargas Vila queda descalificada.

Finalmente, el retorno de Jesús y Magdalena de su "Luna de Miel" en el huerto de Getzemaní, tras cuarenta días y cuarenta noches es un retrato paródico de una gran fuerza que motiva la risa:

La Noche, negra, llena de una tristeza imperiosa, impenetrable... noche de pesadumbre; sin estrellas... por la colina lívida, más lívida que el cielo, avanza el Cristo: hacia el Huerto de Getzemaní; apoya una mano, en el hombro de Magdalena, y, se deja guiar, como si fuese un ciego: no él, sino su sombra, hermana que lo guía; toda flor de juventud ha huido de su rostro macilento, y de su mirada opaca, sin ternuras; la lividez de su rostro es la de un hemotísico, a quien en un tardío y violento uso del Amor, lleva la Muerte; las violetas de sus ojos, son como dos carbones extintos, entre el negro voraz de sus orejas, que llegan hasta sus pómulos salientes, donde un punto rosa, muy pálido, denuncia la fiebre que lo mina; su boca, es casi fea, a causa de la languidez desencantada de los labios, flácidos entre la barba inculta; las melenas en desgreño; se diría, que una larga serie de años, ha pasado su juventud, para ajarla, para destruirla, para no dejar ni un vestigio, de esa encantadora y, enfermiza flor de gracia, que era su rostro de Rabín, encantado y soñador; cubierto, más que vestido, por una túnica sucia, de color indefinible, y un manto harapiento, que el viento de la Noche agita, como para denunciar su estado lamentable; avanza por el sendero guijarroso, sus pies lacrados, apenas cubiertos y no protegidos por sus sandalias en jirones; nunca un aire de vencimiento igual, se vio sobre un rostro de Infortunio; ¡el anonadamiento absoluto, de aquel que ha perdido todo, hasta la Esperanza! ...Así ajado, encorvado, como desaparecido, apoyado el hombro de Magdalena, parece un viejo mendigo, llevado por su hija, a través de la peregrinación de la Miseria; Magdalena, va, menos que humilde, miserablemente

trajeada; su túnica, que fue roja, ha perdido todo color; el
manto que fue azul, y es ahora de un color gris a manchas
desteñidas, como óxido; por todo tocado, sus cabellos
victoriosos, sus cabellos de oro, que sueltos el sobre la
espalda, la hacen por su peso echar hacia atrás, en uno
como gesto de orgullo

El intericonismo ejercerá la inversión subvirtiendo la fórmula icónica establecida al respecto. A la suspensión del valor inicial de la imagen de Jesús, viene una adjunción inversora literaria. No es el ideal, el Hijo de Dios que había ahogado en sí el grito de la carne, dominado el poder de los sentidos, por lo cual había conquistado el poder de las almas. Su verdad, es asimilada como mentira y farsa.

El entorno mítico, cede paso a una dimensión vulgar y grotesca: un hombre desgreñado, sucio, de labios flácidos, ajado, un mendigo miserable, acompañado por una mujer que parece arrastrada por sus cabellera, tan agotada como él, son la pareja perfecta del abandono.Esta percepción carnavalesca del mundo indica una actitud nueva frente a la realidad, muestra como "en la atmósfera de relatividad alegre", propia de la percepción del mundo carnavalesco, ese elemento cambia de manera considerable: su seriedad retórica unilateral, su racionalismo, su aspecto monosémico y dogmático son atenuados por una actualidad en este caso cómica y lúdica. Ahora Jesús y María Magdalena se encuentran ubicados en el lugar verdadero: la lujuria.

Magdalena ha logrado seducir a Jesús, motivo por el cual la muchedumbre lo ha abandonado. Y esa devoción, y ese público es lo que extraña su vanidad de hombre corriente. Necesita orar, hablar con su padre porque presiente que su fin se acerca.

De esta manera, Vargas Vila muestra un Cristo incapaz de sustraerse al amor y los encantos de la Magdalena, con quien permanece los días y las noches que en el relato evangélico corresponden a los de su retiro para orar. En este sentido, el amor humaniza a la imagen divinizada de Jesús, considerada por la religión cristiana como ejemplo de la castidad. Por otro lado, es por el amor a una mujer que debe enfrentarse a Judas su rival y asumir las consecuencias de su obstinación amorosa que culmina con Jesús en la cruz.

Mediante un monólogo doliente y desgarrador Jesús le ortorga nuevamente al amor y a la mujer un carácter fatídico, confirmando la posición asumida por el maestro en **IBIS**.

> *Yo siento la esterilidad de mi Obra, y, la esterilidad de mi Sueño; estériles serán a causa del Amor; por que yo que vine a predicar el Amor, no sólo le di mi palabra, sino que le he dado mi corazón, y le daré mi Vida; el Amor que yo llevaba con una flor entre mis labios, se entró dentro de mi, y, ahora me devora el alma: y he aquí que yo soy el Vencido de mi propio Triunfo, y soy el Conquistador, conquistado por su conquista; la ley del Amor que perdió al Mundo, se cumple en mí, que vine a salvarlo, y hace estéril mi obra: Una Mujer se ha alzado en mi camino, y su sombra me obscurece todos los horizontes del cielo; (...) la Mujer, es la Fatalidad, y la Fatalidad se alza en mi camino; y, ella devora mi obra" (...) estoy vencido, vencido por el amor;... y, siento que voy a ser vencido por el pecado; yo que vine a destruirlo...*

El estado pasional de Jesús al transformar el objeto de placer en necesidad, cuya satisfacción es vital, le hace olvidar el resto de su existencia. Se vive por y para ese ser y el hijo de Dios que ha venido a salvar a la humanidad, olvida su misión y cae abatido por el amor hacia una cortesana.

Esta percepción carnavalesca del mundo, permite que surja una imagen casi totalmente liberada de la tradición, imagen que se apoya en la libre invención, en las citas con acentuación paródica, la mezcla de prosa y verso, como ocurre en la novela **María Magdalena.**

¿Qué pasa con Judas, el otro integrante del triángulo amoroso? Vale recordar que desde antes de la escena de la violación, había amenazado con acabar con su rival. Su posición social y política se lo permite, le facilita el camino, por lo tanto lo ha denunciado ante el Sanedrín y sabe que el castigo que recibirá será la muerte. Nuevamente el juego paródico se hace presente, Judas antes de entregarlo, intenta sobornarlo y comprarle a Magdalena:

> ¡Sálvate! T*oma este dinero —dijo tendiéndole una bolsa repleta de oro—, vete; abandona a Jerusalén, y sus contornos; deja la Galilea; todos los caminos te están abiertos; nadie te tocará; el Cristo, tomó la bolsa, repleta de oro, y dijo:*

> *— Podremos partir tranquilos?*

> *— Tus discípulos y tú.*

> *— Sí —dijo éste, sin inmutarse—; yo te salvo la Vida, a condición de que tú salves la mía, devolviéndome a Magdalena.*

*Berrio, **Cuarenta días y cuarenta noches.***
La cabellera cae en cascada sobre el rostro de Magdalena. A sus
pies, en actitud de adoración está Jesús.

Berrio, **Cuarenta días y cuarenta noches.**
El cuerpo de Magdalena vibra al contacto de los labios de Jesús.
Es una invitación al goce de la carne. ¡Espasmo, grito, hoguera
que arde!

*Jesús arrojó lejos, la bolsa que tenía en sus manos y dijo,
colérico;*

*— Vade retro, vade retro ... tú no tentarás al Hijo de Dios;
... ningún Conquistador renuncia a su conquista; yo no
renuncio a las almas que he salvado: no dejaré la oveja en
las garras del lobo; yo la llevaré sobre mis hombros, y, si su
peso ha de abrumarme, moriré bajo ella.*

*— Basta de parábolas, Nazareno; basta de parábolas,
buenas para la multitud estólida de tus oyentes; aquí somos
dos hombres que hablan frente a la Muerte; dos rivales que
se disputan una hembra; renuncia a Magdalena?...*

— ¡Nunca!

*— Entonces morirás; nuestro duelo es a muerte; uno de los
dos está de más; es el cuerpo de esa mujer, lo que jugamos en
la partida; y, yo lo ganaré, porque yo soy el más fuerte; yo
tengo la orden de prenderte, mis soldados están allí; una
vez por todas, Jesús de Nazaret, renuncias a Magdalena?...*

— Nunca, nunca, dijo el Cristo.

Dos hombres peleándose por el amor de una mujer, es un
melodrama corriente. Mientras en la Edad Media, se citaban a
duelo, en ésta época ficcionada, Cristo y Judas se la dispu-
taban con una bolsa de oro de por medio y una denuncia por
insubordinación. Ningún cazador cede su presa y Jesús, imagen
desentronizada, no desea entregar a su "propiedad". Además,
ambos prescinden de la opinión de Magdalena, es un asunto
de "machos".

Tal como dice Bajtín: "Al discurso de la parodia le es análoga
toda utilización irónica y en general ambivalente de la palabra
ajena, porque también en estos casos la palabra ajena se

aprovecha para transmitir propósitos que le son hostiles"[32]. En el discurso de Jesús, esta utilización del discurso ajeno parodiándolo le aporta una nueva valoración, acentuando la mofa y la burla. El autor utiliza las palabras ajenas para expresar sus propias concepciones.

La muerte en la cruz es el sacrificio para redimir la culpa del hombre: El Erotismo. Es a causa de que el ser humano haya sucumbido a la tentación. La carne, la sensualidad son peligros para el hombre y como explica Bataille: "La iglesia se opuso en general al erotismo; pero la oposición se fundó en un carácter profano del mal, que era la actividad sexual[33].

La tarea del Jesús Bíblico es redimir a la humanidad del erotismo, la tarea del Jesús Vargasviliano es dejarse amar, la inmanencia del amor llevada, hasta la destrucción, hasta la muerte, el amor-sexo-pasión, simbolizados en una mujer son la causa de su muerte. La muerte de Jesús es paradigmática porque vive nuestra muerte y la mata. Este Jesús es transgresor, impúdico, vanidoso, logra escapar a las restricciones de su erotismo, se enamora de una mujer y muere a causa de ella.

La parodia es un elemento imprescindible de la literatura carnavalesca y significa crear un "mundo al revés", lo cual le otorga un carácter ambivalente. Por eso, la imagen de Jesús es "destronada", es decir, se le quitan los símbolos de divinidad, se hace sujeto suceptible a las burlas, pero a la vez como imagen carnavalizada, es "coronada" como víctima de la mujer.

Tras la muerte de Jesús, María Magdalena fue expulsada del pie de la cruz, se le prohibió acercarse al patíbulo y fue entregada al ludibrio de los centuriones, motivo por el cual huye en la noche. Judas, la sigue e insiste en su amor por ella. La culpabiliza de la muerte del Galileo. Magdalena no se deja intimidar, y manifiesta el odio que Judas le inspira. El hombre no resiste el desprecio y se estrangula delante de ella.

Ambos hombres han muerto. El ejemplo es caricaturesco y contundente:

> "**En la noche lívida, la sombra del crucificado, y la del ahorcado, parecían mirarse ferozmente en las tinieblas, por sobre el cuerpo inánime de la mujer que los había perdido**" *Frente a sus cuerpos María Magdalena se encuentra con un centurión, hombre joven y hermoso que le pregunta: /—¿ Quién eres?/—¿Yo?*... **yo soy un sexo que llora/ Magdalena, lo miró extasiada, y lo halló/ bello, bello como un Apolo, con sus formas atléticas,/ con su rostro imberbe, bajo el casco dorado, las alas de cuya águila parecían acariciarlo como dos manos de mujer.**/ *Luego ambos se alejan, se pierden en el bosque y solo se escuchan los sonidos de los besos, y la sentencia final:*
>
> **¡ Alma de Mujer!**...

Aquí, Vargas Vila reitera el presupuesto de la vanidad, egoísmo e incostancia como características femeninas, recurriendo a la cita de sí mismo, puesto que en **Ibis** ya había empleado la misma expresión:/*Aspiraba a plenos pulmones el humo del incienso, /el homenaje rendido a su hermosura radiosa. / Y era feliz. Vanidad, egoísmo e inconstancia: alma de Mujer./*

La imagen de María Magdalena, a lo largo de las versiones Biblícas de los apostoles, ha sido la de la "mujer pública", poseída por "siete demonios", quien finalmente se arrepiente y reniega de su sexualidad. En esta novela, por el contrario, es la imagen inversora reafirmativa, de la mujer fatal, destructiva y carente de sentimientos. Es la mujer que practica el amor efímero, terreno y carnal, cuya frivolidad, no le permite hacer "duelo", consternarse con la muerte de los hombres que amó. Magdalena olvida a sus dos amores, en los brazos de un centurión desconocido que pasa por allí. La mujer sin sentimientos, ávida de placeres, voraz devoradora de hombres, sublimación dramática de la mantis religiosa, animal sádico-masoquista, ha cumplido su misión y ha eliminado a sus dos contendores.

El erotismo, como tema obsesivo no es una característica exclusiva de Vargas Vila, más bien corresponde a una de las épocas más fascinantes de la Historia del arte y de la cultura: "*la Belle Epoque*" de fin de siglo. La burguesía como clase social dominante —temida por su afición a la pompa, y su adicción al placer— actúa como catalizador de ese florecimiento cultural. De este "laboratorio" trata también el Arte de Vargas Vila, cuyas visiones del mundo están impregnadas de vida y al mismo tiempo de muerte; se trata de un engranamiento entre la tradición y la modernidad: el compromiso entre un mundo que caduca y uno que se anuncia.

NOTAS

[11] *MORIN, Edgar. Enciclopedia Salvat N° 7 p. 1118.*

[12] **Los imaginarios sociales** son referencias específicas en el vasto sistema simbólico que produce toda colectividad y a través del cual se percibe, se divide y elabora finalidades. "A través de esos imaginarios sociales, una colectividad designa su identidad elaborando una representación de sí misma, marca, expresa e impone ciertas creencias comunes, fijando especialmente modelos como el del "jefe", el" buen subdito", el "valiente guerrero", la "buena esposa".*BACZKO, Bronislaw. **Los Imaginarios Sociales Memorias y esperanzas Colectivas**.Buenos Aires: Nueva Visión. 1991. p.28

[13] *VARGAS VILA, José María. **IBIS**.* Medellín: Editorial Beta, 1967, p. 16-17. Todas las citas serán tomadas del mismo libro.

[14] *BORNAY, Erica,* op. cit. p. 36

[15] El término Intericonismo, usado por Gómez Goyeneche está basado en el de Intertextualidad, es decir, a las relaciones que se establecen entre varios textos. En este caso se refiere al diálogo que se produce entre una imagen precedente y otra, bien para seguir su modelo o para transgredirlo. Esta tipología de imágenes que la autora, enmarca en el régimen nocturno de lo imaginario, son típicas del género novela y caracterizan a la visión carnavalesca. Visión irreverente, paródica e inversora de los valores tradicionales. Dentro de esta categoría de imágenes de inversión intericónica se advierten dos clases: Intericonismo inversor reafirmativo e Intericonismo inversor oposicional. Para ampliar estos conceptos ver: GOMEZ, Goyeneche. María Antonieta. *Op. cit.* p. 115

[16] *Ibid.* p. 116

[17] La autora plantea que la modalidad de imagen de inversión por conversión se refiere a un "vertiginoso proceso de transmutación Icónica. La conversión aqui, es cambio, metamorfosis, mudanza de vida de una imagen" Estas imágenes son siempre dinámicas y el proceso deconstructor de la misma se debe a un elemento medial que interviene y que bien puede convertirse en un ayudante al proceso activo de la conversión de una imagen en otra opuesta.

[18] *Ibid.* p. 87

[19] Para Freud, la fusión pulsión sexual - pulsión de muerte, designa una relación dinámica que es obra de Eros. Es Eros quien va a intentar somenter para sus propios fines a una parte de la energía que está en manos de Tánatos. Eros logra esto, transformando una parte de los objetivos que tienden al instinto de muerte, sexualizándolos o narcisizándolos es decir haciendo que las fuerzas destructivas se hagan eróticas, se hagan menos peligrosas para la vida. El problema de la vida consiste en mantener limitado el instinto destructivo, haciéndolo erótico, esto es combinándolo con la líbido, en forma de masoquismo o de agresión, esto le permite a un tipo de cultura como la accidental catalogar a la mujer de "Sádica". *THOMPSON, Clara. El Psicoanálisis.* México: Fondo de Cultura Económica, 1961, pág. 57-59.

[20] *BADINTER, Elizabeth. X Y Identidad masculina.* Bogotá:Editorial Norma. 1993, p.113

[21] El crítico muestra la indignación general de la sociedad colombiana, por esta obra, en la medida que hace una parodia en la que Circe y Afrodita mueven su truculencia purpurea y aspavientos retóricos en la carne de un Cristo, descristianizado, lujurioso y "térmico", que nada tiene que ver con el Cristo histórico. *CURCIO, Op. cit. p.*

[22] *VARGAS, Vila, José María.* **María Magdalena,** Mexico: Editorial. 1960. p. 30

[23] *IRIGARAY, Luce. El lenguaje del Hombre.* Revista Filosofia No. 4. 1978 p. 82-83. Traducción de Mercedes Arjona

[24] *Ibid.* p.245

[25] Por valor de cambio se entienden las diferentes transacciones que se pueden realizar entre mercancías, con el objetivo de equiparse. Valor de uso entraña la utilidad práctica que tiene un objeto determinado.

[26] *BAJTIN, M. Op. cit.* p. 498

[27] *HAUSER, Arnold. Historia Social de la Literatura y el Arte.* Tomo III. Madrid: Guadarrama, 1969, p.217.

[28] *DURAND, Gilbert. Estructuras Antropológicas de lo Imaginario.* Taurus 1989 p. 232.

[29] *BACHELARD, Gastón. El agua y los sueños.* México: Fondo de Cultura Económica. 1968, p. 86.

[30] *FUENTES, Carlos, Terra Nostra.* México, Fondo de Cultura Económica.

[31] *CURCIO, Antonio. Op. cit.* p. 104.

[32] *BAJTIN,M. op. cit.* p.

[33] *BATAILLE, George. El Erotismo.* Barcelona: Tusquet Editores, 1980. p. 173.

. LIBRERIA Y DISTRIBUIDORA LERNER LTDA.
COLOMBIANOS
NIT 860.029.109-0   IVA NO RESPONSABLE
Dir : Av. Jimenez # 4-35
Factura # 045842 Tel:
DIAN # 300000079707 de Dic. 03/1998
de CO 00000000034400 a CO 00000000084400
Caja No.: 03   FECHA: Sep 02/99
Nit/CC. 999-9   Comprador :
Ventas de Contado

Codigo	DescripcionCant.	Total
014-211-3022 Alm.3/0874	1	15,000
DE MARIA MAGDALENA Y LAS OTRAS		

Efectivo	13,500	Subtotal:	15,000
	0	Rec/Desc:	-1,500
	0	A Pagar:	13,500
Recibido:	13,500	Cambio:	0

03:25:10
E-mail lerner-centro@ultra.com.co
E-mail lerner-norte@ultra.com.co
WEB http://bogota.teleciudad.com/lerner
LEER ES LA CLAVE.

EL BESTIARIO DE LA MUJER FATAL

as fantasías masculinas que dieron forma a la imagen de la mujer malvada, la tentadora sedienta de semen, esa *femme fatale* persiguiendo al macho en erección perpetua, crearon un conflicto entre los intelectuales del siglo XIX, una lucha entre los que se podrían denominar débiles y los superhombres. Los débiles sentían fascinación por el canto de la sirena, atracción por las mujeres de voluntad fuerte y espíritu independiente, mientras que los otros preferían a la mujer dulce y sumisa, a la mujer femenina. Ellos, veían su ideal de femeneidad en el prototipo de lo que gracias al cine, se convertiría en el estereotipo de la rubia tonta-esclava hogareña. Los superhombres despreciaban a los débiles por encontrarle gracia a la apoteosis masoquista de la mujer en tanto que destructora de almas, por transformar a "un monstruo de la naturaleza degenerado"—la mujer varonil, la feminista—en una criatura con poderes de seducción mágica.

En cualquier caso, tanto los unos como los otros estaban persuadidos de que el hombre intelectualmente desarrollado tendría también una moral fuerte, que le permitiría estar a salvo de esa mujer degenerada que intentaba "imitar" al ser superior. Los vestigios animales que quedaban en el hombre fueron representados gráficamente: los sátiros y los centauros eran la perfecta plasmación simbólica de aquellos varones que no habían alcanzado la gran espiral evolutiva, que se habían conformado con la sensualidad afeminada. Como las mujeres eran ya por sí mismas la representación de la degeneración, su representación física normal y en estado de desnudez, era suficiente para dejarlo claro.

La ciencia de finales del Siglo XIX descubrió, convenientemente para los artistas e intelectuales, que aunque se intentara separar a la mujer de los animales y adaptarla al mundo intelectual del hombre, era imposible eliminar al animal que había dentro de ella, puesto que mujer y animal eran coextensivos. Las publicaciones seudocientíficas, como la de Lombroso y Ferrero mostraron de forma concluyente que las mujeres asesinas, tenían tendencias criminales porque poseían "colmillos gigantes" u ojos con "expresión salvaje". Los "grandes ojos felinos" de una criminal y el "semblante feroz" de la otra eran pruebas contundentes de su predisposición innata al mal y de sus visibles rasgos animales.[34]

Luego, cuando a partir del psicoánalisis el instinto sexual se consideró como una dominante de la conducta animal a diferencia de la pulsión erótica exclusiva de los seres humanos, la creencia en la animalidad de las mujeres tomó mayor fuerza. Esta creencia, creó los rasgos más significativos de la "mujer fatal": una fuerte sexualidad, en muchas ocasiones lujuriosa y felina, es decir, bestial. El simbolismo animal, está asociado, como bien lo advierte Gómez· desde el punto de vista psicoanalítico con el Ello, lo instintivo y con el inconsciente. Ya Jung advertía que "los símbolos teriomorfos se refieren siempre a las manifestaciones inconscientes de la líbido".[35]

En la literatura, al igual que en las artes visuales, las fantasías sobre las semejanzas de las mujeres con los animales proliferaron sin parar, en una variedad que iba de las comparaciones sencillas ("gracia felina") a elaboradas caracterizaciones psicológicas: corazón endurecido, charlatanas, holgazanas depredadoras y perversas.

Cabe recordar que este panorama cultural no le es ajeno a Vargas Vila, quien en 1894 se encontraba radicado en Paris. Además su contacto con las letras francesas se remontaba a la época de su infancia pues manejaba la lengua tal como él mismo lo cuenta: "yo había leído ya todos los enciclopedistas y la copiosa literatura de finales del siglo XVII y principios del XIX, la enciclopedia fue mi biblia: Voltaire, Diderot, Motesquieu, fueron maestros de negación y atrevimiento"[36]. Más tarde, conoció a los símbolistas, los Decadentes, los Parnasianos, los versilibristas y con ellos a personalidades como: Verlaine, Rimabud, Le Conte de Liste, Heredía,entre otros.

Por lo tanto no es extraño que en sus novelas **Ibis** y **María Magdalena** se vean expresadas muchas de las constantes y características de la época.

LA MUJER FELINA

La descripción de María Magdalena, en actitud de felina en reposo, tendida, sensual y voluptuosa, esperando la iniciativa del varón corresponde a la iconografía del deseo sexual masculino y a la clara silueta de la mujer moderna. Por la pose y la presencia de su criada Sara,recuerda a la **Olympia** de

Manet. Pareciera que Vargas Vila, se hubiera inspirado en el cuadro mencionado para escribir el primer capítulo de **María Magdalena.**

En la pintura de Manet, la imagen de la mujer, es —al igual que Magdalena— la imagen de la mujer transgresora del orden establecido, la mujer-concupiscente, que invita a los placeres prohibidos fuera del lecho matrimonial. También yace lánguidamente sobre cojines, con la mirada perdida, mientras su criada negra la observa con una interrogación en los ojos.

Por su parte, el narrador describe a Magdalena de la siguiente manera: */ está extendida sobre cojines rojos,/ en la acitud indolente y felina, de una joven pantera,/ viendo morir el sol, en la ladera de una colina/ las esmeraldas que adornan su cuello y su cabeza/ parecen morir de enojos, y compiten con el verde, y con la tristeza de sus ojos; /*

En **IBIS,** Adela, una vez seducida por Teodoro, es descrita de tal manera, que confirma la tesis sobre la imposibilidad que tiene la mujer para luchar contra sus instintos animales porque éstos terminarán por brotar de ella de manera inevitable: */Su temperamento voluptuoso y mórbido había/ vibrado como un arpa al contacto del Amor,/ había despertado como un cachorro de tigre y jugueteaba/ en los primeros desperezos de la vida./La sensualidad innata y morbosa que le venía de su madre,/ se revelaba en toda ella, con una gracia rara de ignorancia y de deseo, que vibraba en/ su cuerpo ondulante de animal felino./*

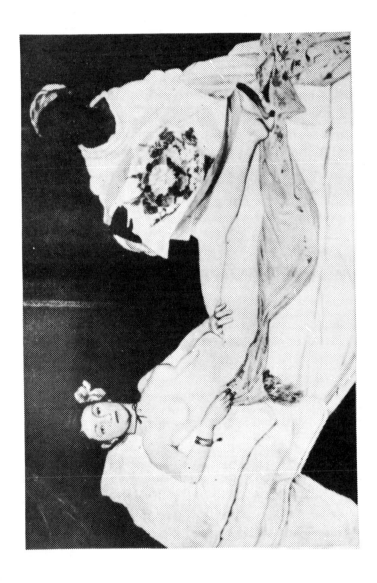

*Edouard Manet, **Olympia,** 1863, 130 x 190, Musée d'Orsay, París*

Mujeres asimiladas a panteras, tigres, leones y gatos por la sensualidad de sus movimientos, la voluptuosidad de sus temperamentos y carácter "devorador" de sus instintos, son elementos que van conformando la imagen de la feminidad nefasta y bestial. Animales que según Durand[37], simbolizan la muerte cósmica porque son los "devoradores" de los astros y es en sus fauces donde se concentran los fantasmas que asustan por su animalidad: agitación, gruñidos y gritos,signos, que también se encuentran en el acto sexual.

LA SERPIENTE Y LA MUJER

Ahora bien, el símbolo de la serpiente es el más relacionado con la mujer, pues como todo el mundo sabe la concepción Bíblica de la creación y la seducción del primer hombre, en la cual el papel seductor está repartido en dos figuras, Eva y la serpiente, lo que permitió explicar casi de forma exclusiva la semejanza general en cuanto a instintos y deseos, su íntima relación.

En efecto, las actividades de Eva en el paraiso y su ser seducido por Satán podían explicarse casi de forma exclusiva como una característica de su semejanza general, en cuanto a instintos y deseos, con la porción primitiva más licenciosa de la materia viviente que conocia el hombre, aquella enredadera por lo visto perpetuamente excitada que había apartado al varón de la dicha espiritual con que soñaba: la serpiente. Símbolo de la tierra primigenia urobórica, de la mujer como madre tierra y que también representaba en palabras de Arthur Symons *"el deseo del hombre,/ antes divino y ahora por amor de una mujer descendiendo de ella a la serpiente"* (***Hallucinacion***).

66

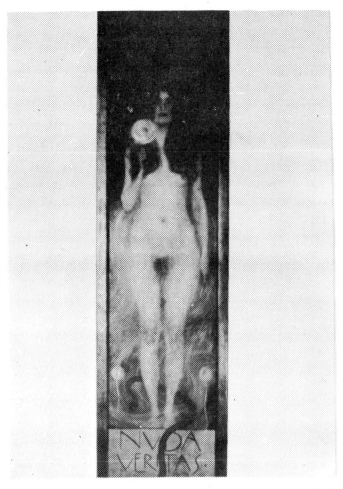

Recuadro de la pintura de Gustav Klimt, **Nuda Veritas,** *1899 (Foto Margaret Bonilla).*

Klimt, por su parte, pinta a Eva, la mujer por excelencia en todas las posiciones imaginables, incluso las más osadas. Eva seduce no solamente con la manzana, sino con su cuerpo: se expone a si misma, está simplemente ahí de frente, sin pose, sencillamente desnuda.

Por ser una auténtica hija de Eva, la mujer-animal sentía un cariño especial por las habilidades eróticas de la serpiente. Le gustaba estar con ellas, utilizarlas en extraños rituales y asemejarse a ella en sus movimientos ondulantes y sinuosos. En el campo de la literatura existe el ejemplo más claro en *Salammbó* de Flaubert, en la cual describía la relación erótica entre ésta y la serpiente, su compañera en los rituales que realiza como sacerdotisa de Baal, dios que simboliza el principio exterminador masculino. En *Eden Bower* de Rossetti, Lilith —la primera supuesta compañera de Adán y *mujer salvaje* original que carecía de las cualidades propias de la pasividad— exclama que había sido "la serpiente más hermosa del Edén".[38]

Vargas Vila describe a la serpiente primigenia que se descubre en los movimientos de Adela: */Cuando bailaba, sus frotamientos de loba en/ celo, sus ondulaciones de sierpe, el abandono real / que hacía de toda su persona, con los ojos entre cerrados, los labios resecos, era todo un poema de /Lujuria./* Adela, con las implicaciones malignas y bestiales de su belleza es la serpiente misma. Los téminos que describen la apariencia de Adela y Magdalena son: "Sinuosas", "ondulación de sierpe", "serpentina". Solo las gracias felinas pueden competir a este respecto con la sinuosidad del reptil, la cual, además se enrosca con un abrazo engañoso y mortal: */en tus brazos, anudados como dos serpientes sobre mi cuello, dejé todo el candor de mi juventud altivo y fuerte.* Al utilizar el símbolo de la serpiente, Vargas Vila es, en cierto modo menos gráfico y, a la vez satisfactoriamente simbólico.

Diego Pombo, **La Arpía***. 1994*

LA ESFINGE

La sexualidad, la capacidad erótica y la sensualidad de la mujer observadas a través del miedo y la fascinación masculinas son representadas por la **belleza horrenda**, de los monstruos míticos como la medusa, la arpía y la esfinge, que son la mujer-bestia portadoras de misterio, malignidad y enigma.

Sin embargo, a través de las épocas y según el contexto cultural, la iconografía de las "**bellas atroces**" ha tenido algunas variaciones. Por ejemplo, las Harpías, emisarias del Hades que habitan en los infiernos y son raptoras de almas (Harpía significa "raptora"), conocidas por su avidez, quienes han sido representadas con cuerpo de ave y cabeza de mujer y a veces cola de serpiente. En cambio, la Harpía de Edward Munch de 1900 representa a una mujer - pajarraco de rostro y pecho blanco, con garras a manera de garfios, pronta a abalanzarse sobre los restos del cadáver de un hombre. Por su parte, *La Arpía* del pintor colombiano, Diego Pombo (1994) representa un ave rapaz gigantesca carente de rostro femenino con la pierna izquierda enfundada en una bota de tacón alto y puntiagudo. La bota, asociada con el poder militar, simboliza además ciertos placeres sadomasoquistas, que las revistas pornográficas se han encargado de difundir. Podría decirse, que la obra de Pombo recrea a las "bellas bestiales", contemporanizándolas. Ambas pinturas tienen en común que no muestran la cara femenina. En la opinión de Julián Marías, el hombre se enamora de una mujer a través de su cara. El cuerpo seduce atrae, gusta, incita pero es la cara la que es erótica, la que sugiere y expresa el enamoramiento.[39]

El tema de la Esfinge, también aparece en ambas novelas. El nombre, de orígen griego, (Sphynx) que designa un ser híbrido, creado por los egipcios, de cabeza humana y cuerpo de león; reunía en sí los signos de la inteligencia y la fuerza que se atribuían los faraones. Posteriormente, a partir del Imperio Nuevo, fue de sexo femenino y con alas; además, en lugar de encontrarse agachada, aparecía de pie. De esta manera pasó al mundo griego.

La sensualidad profunda de la mujer reside, en el misterio, en el enigma y el Enigma de la historia de la mitología Griega es la Esfinge. Este monstruo con cuerpo de león, pecho y rostro de mujer, con fuertes garras y alas de ave de rapiña, aterrorizó durante mucho tiempo a la población de Tebas proponiendo enigmas y devorando a los que no lograban resolverlos.

Las abundantes representaciones de Esfinges en este período eran ejemplos característicos de la costumbre del Siglo XIX de yuxtaponer —sin sintetizar— opuestos extremos dualistas en una única imagen. La Esfinge "mitad mujer, mitad animal", todavía conservaba la apariencia externa de la madre cálida y complaciente de la década de 1850, tenía los pechos seductores y lechosos, con los que atraía a los desprevenidos hijos con la promesa de una pasividad benevolente. Pero una vez que se había acurrucado en el fértil seno de la naturaleza, los desamparados hijos descubrían que su madre, metamorfoseada en sus hermanas, se había atrevido a desarrollar las garras para asociarse con el mal, para convertirse en una criatura con exigencias propias.

Si en la pintura simbolista la Esfinge, fue a menudo identificada con la femme fatale, Vargas Vila, advierte en la adolescente, la misma voracidad de la esfinge, la tempestad y el anhelo del amor en todas sus formas:

El instinto de la hembra palpita aún en la hembra más púdica, que se deleita en la belleza de las formas y en las curvas intocadas de su seno, por que sabe que el hombre ama esas formas y ese seno, y las ama con sed de posesión y amor de carne (**Ibis**).

No es fortuito que en la segunda parte de **Ibis,** Vargas Vila equipare a la mujer virgen con la imagen de la esfinge /*La Virgen* **tiene eso del monstruo: que guarda el enigma. En el dintel de la vida mira el porvenir, como una esfinge inmóvil en la linde del desierto./**

Dice Durand,[40] que la esfinge constituye el resumen de todos los símbolos sexuales: animal terrible y enigma eterno, características que son atribuidas a la mujer, la cual se mueve por instintos primitivos, tales como: celos, vanidad, crueldad y capricho.

En **María Magdalena,** también Vargas Vila hace referencia a la relación existente entre leona - mujer - esfinge. Además, cabe recordar que la palabra "León" está etimológicamente emparentada con "Leo, de slei", que en alemán antiguo quiere decir desgarrar"[41.] En este sentido, Magdalena se "animaliza" aún más, pues ella destroza y desgarra los sentimientos de Judas:

Tu mirada de leona, vio claro en la inerte desnudez de mi corazón, y me seguiste con los ojos; el hambre atroz de tu

GUSTAV Klimt. (Foto Margaret Bonilla)
Mujer y Serpientes. Simbiosis zoo-antropomorfa femenina

carne deseó mi adolescencia.(...) en tus brazos, anudados como dos serpientes sobre mi cuello, deje todo el candor de mi juventud altivo y fuerte; toda una sucesión de albas me sorprendió dormido sobre su seno florido. (**María Magdalena**, p. 113).

Igualmente en **Ibis**, tras la victoria de Adela sobre la muerte; ésta es asimilada con la figura del león :*/Una joven leona que despierta al día siguiente de haber sido violada,/ y sintiendo aun la impresión de la garrra domadora sobre su piel martirizada,/ fijas sus pupilas en el desierto,/ soñadora de amores, plétorica de vida./* (**Ibis**).

SERPIENTES ACUATICAS

El agua símbolo de la feminidad, es el "agua madre", el vientre de la naturaleza siempre fecundo. Lo que constituye la irremediable feminidad del agua es que la liquidez es el elemento mismo de los monstruos y por lo tanto ha albergado en su seno extrañas y fascinantes criaturas tales como: sirenas, melusinas, ondinas entre otras. Puede decirse que el arquetipo del elemento acuático nefasto es la sangre mestrual. Es lo que confirma la relación del agua y de la luna. La luna está unida indisolublemente a la muerte y a la feminidad, y es por la feminidad por la que se vincula al simbolismo acuático

La Melusina, como hada de las aguas, está emparentada con la "Morgana", que quiere decir "nacida de la mar", contrapartida occidental de Afrodita y relacionada con la Astarté preasiática. Las diferentes representaciones de la Melusina, tienen en común el presentarla como una Mujer de larga cabellera cuyo cuerpo termina en cola de pez, emergiendo tanto de las olas como de la animalidad. Oscila pues, entre un simbolismo acuático y un simbolismo telúrico.[42]

La representación ictiomorfa, se modificó a través de la leyenda francesa; en la cual la hija de un rey de Albania transformaba en serpiente la parte inferior de su cuerpo todos los sábados. Sin embargo, si bien en un comienzo no estuvo asociada a lo nefasto posteriormente ingresó al *bestiario de la "mujer fatal"*.

El modernismo retoma los elementos acuáticos, donde algas claras y oscuras crecen en almejas de mar. Las algas se transforman en estos sueños acuáticos, en melenas y pelos pubianos. "Las mujeres pez" de Gustav Klimt muestran con impudicia su voluptuosidad húmeda, ondean en la corriente de líneas serpenteantes, expresión por excelencia del modernismo.Con su ecléctico simbolismo, sintetiza en una sola obra de técnica mixta, el tema del reptil y la mujer acuática. En **Serpientes de Agua I**, dos figuras femeninas, con la parte inferior de su cuerpo a manera de cola de pez, se abrazan sumergidas en las aguas profundas, cuyos movimientos ondulantes se mimetizan en una danza acuática.

Tanto Klimt como Vargas Vila son incriminados por "pornografía" y un"exceso de perversión". Cada uno en su campo artístico tiene la osadía de representar el mundo imaginario de una época, de una colectividad a través del lenguaje de las imágenes. Mundo simbólico y misterioso.

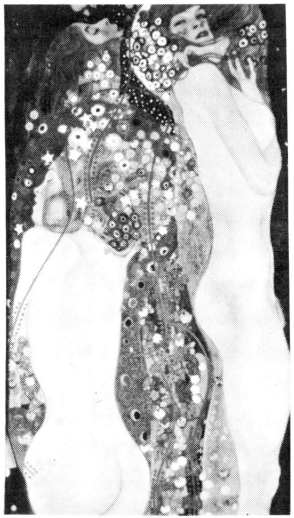

*Gustav Klim, **Serpientes Acuáticas,** 1904 -1907 Técnica
Mixta sobre pergamino, 50 x 20 Österreichische Gallerie, Viena.
(Foto Margaret Bonilla).
Mujeres asociadas con serpientes, cuerpos ondulantes
largas cabelleras, se conjugan en este cuadro para mostrar las
fantasías eróticas masculinas.*

*Gustav Klim, **Serpientes Acuáticas II**, 1904*
Cabellos que se entremezclan con las algas, mundo feminizado

Conocedor de estas representaciones simbólicas, Vargas Vila no duda en comparar a Adela con la Melusina: */ Era la Electa, extraña Melusina, cuyas vértebras de sierpe se multiplicaban ya hasta el corazón y hasta el cerebro./*

LA MUJER ARAÑA

Hasta el momento, nuestro Autor se ha encargado de elaborar minuciosamente la imagen de la mujer depredadora, emparentada con el mundo animal, entregada desinhibidamente a sus instintos sexuales —que contrasta con el acto intelectual realizado por el hombre— reflejando con un lenguaje inequívoco el criterio hombre-espíritu-intelecto antagónico al de mujer-materia-naturaleza. Las relaciones planteadas de esta manera se convierten en un campo de batalla, como bien lo anuncia en **Ibis**: */ El Amor es un duelo, el duelo de la especie./ Y en ese duelo formidable entre el macho y la hembra,/ el vencido es implacablemente devorado. Tal ha sido,/ tal es el drama, desde las cavernas el hombre primitivo hasta los lechos perfumados del hombre actual./ Varían las condiciones de la lucha, pero la lucha existe./ El Amor permance invariable, siendo el eterno Idilio de la Bestia./*

Sublimación dramática de la mantis religiosa, la mujer en Vargas Vila, es el animal amenazador que condensa todas las fuerzas maléficas al igual que la araña enreda a los hombres para luego destruirlos. Al mismo tiempo, es una peligrosa transgresora de la moral establecida que asume una actitud de desafío contra la sociedad, actuándo con plena consciencia de su sexualidad y se convierte paradojicamente en heroina. Vargas Vila intensifica por lo tanto, el motivo de la superioridad de la mujer no sólo representada en el principio activo de la distribución del placer, sino también en el gobierno del mundo a través de su belleza impura. La hembra es agresiva, el varón vacila.

La actitud femenina ha sido juzgada y sus valores cuestionados desde un sólo punto de vista: el masculino. Tanto la actitud de la mujer como de su cuerpo, además de ser objeto de discurso, es objeto del espectáculo. A este respecto Noami Scheman dice: *"La sujeción femenina opera largamente a través de un sistema disciplinario de ser vistas, de ser observadas, como cualquier clase de objeto visual."*[43]

En ambas novelas, Adela y Magdalena son observadas bajo dos perspectivas que permiten a Vargas Vila, demostrar el carácter y la naturaleza malévola y lúbrica de la mujer: **la perspectiva de cualificación,** que hace referencia a la naturaleza misma de la mujer, es decir lo que se considera innato o connatural a ella; y otra **perspectiva de adquisición,** donde el repertorio de posibilidades corporales es mucho más amplios que el del varón, le permite que el peinado, maquillaje, exhibición u ocultamiento de las formas, gestos, ademanes, etc., hagan que el cuerpo de cada mujer se construya con los elementos sociales, económicos y culturales que tengan a mano[44].

LA NATURALEZA DE LA MUJER BESTIA

Desde la perspectiva de cualificación, María Magdalena, desde su adolescencia ha mostrado su inclinación "malsana" hacia el sexo, junto con una permanente exacerbación de los sentidos. En la conversación que sostiene con Sara, su criada, Magdalena focalizando como adulta dice: *Mi adolescencia fue, como una exuberante flor de insania./*

Yo era virgen pero no era ignorante, y llevaba conmigo todas las impurezas del Amor,/ las llevaba en la sangre; era como una rosa de deseos, cuyo perfume embriagaba ya a los hombres./ Yo amaba el impudor de las palabras y de los ojos de mis hermanos; mi cuerpo era virgen como los lises, pero, envuelto en las tinieblas del Deseo... turbado de deseos; ardiente de deseos; yo, era el Deseo y, daba el Deseo./.

El cuerpo virgen envuelto en las tinieblas del deseo, que en el texto culmina con María Magdalena convertida en el deseo mismo, hace referencia al arquetipo de las tinieblas. La oscuridad va acompañada del miedo primigenio a lo desconocido que se esconde entre lo negro, pero a la vez suscita la curiosidad por aquello de que no se puede ver. Miedo y oscuridad se transforman en una fuerza incontrolable que moviliza al ser, impulsándolo a traspasar el mismo miedo. De ahí que la moral cargue negativamente el significado de lo oscuro y utilice al pecado como muro de contención frente a cualquier intento de desbordamiento.

De manera similar Adela, la adolescente, que en la novela **Ibis,** es incialmente "lirio místico", "albo cisne", "blancura sin mancha", también posee dentro de sí, "la sombra negra": el testimonio de los sentidos. Al sentirse perturbada por la miradas de Teodoro, trata de huir de su propia naturaleza: / *del enemigo que lleva en sí misma, en su sangre impura, en su cuerpo de virgen, hecho para las oblaciones del placer, en la* *herencia fatal de gérmenes morbosos, que formaban su temperamento, y apelaba a la mitad de su ser, fuerte, egoísta y soberbio, a su cerebro, en el cual pululaban como larvas sin alas, rebeldes a la vida, reacias a la lucha, las ideas dominadoras, que vivían como manadas de águilas en el cerebro poderoso de su padre.(...) En el cuerpo y en el alma llevaba los gérmenes del mal.*

Por lo tanto Adela y Magdalena, aún siendo vírgenes han experimentado la inclinación e impureza inherentes a su condición femenina y han actuado con consciente provocación frente a los hombres.

Observando los ejemplos anteriores, se percibe cierta prevención hacia las manifestaciones eróticas femeninas, como también rezagos de una visión de mundo que contiene elementos de la filosofía platónica, la cual separa el cuerpo del alma.

El cuerpo había sido tradicionalmente, en tanto que materia, lo opuesto al alma, y sólo en relación a ésta era definido. Como afirma Kogan: *"Resulta difícil para el hombre aceptarse como ser carnal, pues el modelo establecido por Platón en el "Gorgias" y en el "Fedón", donde se lee que "el alma del filósofo desprecia profundamente el cuerpo", perduró largamente".*[45]

La creencia de que las pasiones, los deseos, turban la serenidad el alma y que la pureza sólo podía obtenerse librándose de las necesidades del cuerpo forjaron a su vez imágenes "ideales" de perfección humana, tales como la del "héroe virtuoso". Al respecto Foucault dice: "El héroe virtuoso que es capaz de alejarse del placer como de la tentación en la que sabe que no caerá, es una figura familiar conocida por la antigüedad pagana, al igual que ha sido común idea de que ésta renuncia es capaz de dar libre acceso a una experiencia espiritual de la verdad y del amor que la actividad sexual excluiría"[46]

Sin embargo, estas ideas filosóficas circularon en medios minoritarios y podría decirse que la Antigüedad pagana mostró una actitud condescendiente y amplia frente a la sexualidad. Es en la tradición judeo-cristiana donde se puede encontrar vestigios de esta visión, acomodada a los fines de la enseñanza Patrística, que veía en el sexo el pecado por ontonomasia y a la mujer en el símbolo de la carne y la concupiscencia Tal como anota Castellanos, sobre la mujer, se descarga todo el peso de la culpa que siente el hombre por su deseo sexual, es ella la "tentación "y la incitación a los pecados de la carne.[47]

ADITAMENTOS DE LA BELLA

Dentro de la perspectiva de adquisición, es decir de los elementos que le permiten a la "mujer fatal", aumentar o realzar sus encantos, crear ambientes propicios para que su voluptuosidad se manifieste; cabe destacar las vestimentas que usan, los adornos que utilizan y los ambientes en que viven.

El décor en Vargas Vila no tiene un valor puramente erudito. La lista minuciosa de adornos, objetos, de actos, no tiene la mera finalidad de ambientar. Al nombrarlos se sobreentiende la fermentación de las cosas impuras y violentas de las que aquellos décors fueron testimonio. Las cosas son otros tantos emblemas de perversidad, lujuria y crueldad. El décor por si mismo es ya la enunciación de una atmósfera espiritual y moral: */Bajo la cúpula dorada, la gran sala octagonal; / en la cual, hay fragancias de nardos y, terebintos; / en los braseros extintos sobrevive el perfume; / en el pebetero, se consume aún el sándalo; en la casa del Escándalo; la casa de la pecadora; / en la penumbra tibia, que el sol dora aún / con una caricia de lascivia, llena de voluptuosidades / blondas, en ondas suaves, agonizan las sombras.*

Las prendas femeninas se convierten en ambas novelas, en aliados de la mujer para seducir al hombre. Por ejemplo, en **María Magdalena**, el narrador nos cuenta: *La viste una túnica opalescente, de gasa transparente, color de jacinto, que se abre hacia la rodilla, dejando ver la maravilla de una pierna desnuda, que la luz tenue del sol, dora de una tersura de melocotón.*

Lo erótico está dado aquí por la transparencia, por la insinuación de lo cubierto-descubierto, por la textura aterciopelada del melocotón que es toda una invitación a la caricia esencial. El erotismo, como anota Octavio Paz [48] es invención, cambio permanente, es la necesidad de "llenar", de completar los vacíos de lo que está apenas insinuado. Por lo tanto las mallas, las sedas, las telas que se ajustan al cuerpo, las telas transparentes, son los materiales preferidos por las fantasías eróticas masculinas.

En "**Ibis**", el recurso de la transparencia, está acompañado por la luz de la lámpara, lo cual contribuye a dibujar el cuerpo semidesnudo de Adela produciendo efectos de luz y sombra, mientras camina hacia la habitación de Rodolfo su cuñado:

> *Se desvistió y poniéndose solo una bata de noche, casi transparente que la envolvía como un vapor de niebla, desanudó su cabellera tumultuosa, que cayó en ondas de oro sobre su cuerpo semidesnudo y tomando una luz, avanzó como una psiquis viva y real, de aposento en aposento, hacia el cuarto de Rodolfo.*

Ambas mujeres disfrutan con la admiración que suscitan a su paso. Se deleitan con la mirada lasciva que provocan en el auditorio masculino. Tienen consciencia de su belleza y se enorgullecen de ella.

Si bien la creencia generalizada afirma que la mujer no desea es deseada, Adela y Magdalena por el contrario, desean ardientemente. Sin embargo, no logran evitar la reducción última a dualismo: lo perverso y dominador artificial por un lado, y la buena naturaleza por otro.

La fascinación por la flor erotizada, manifiesta en incontables imágenes inversoras reafirmativas en ambas novelas, hacen patente la inspiración de Vargas Vila en la idea de Baudelaire, puesto que éste le había dado la vuelta al simbolismo positivo —que pretendía ser un homenaje a la fragilidad y pureza virginal femenina— de la analogía al referirse a las mujeres como flores del mal. Ahora la relación entre las flores y la tierra abría la cima de la relación sexual que separaría a la mujer del ideal de su inequidad floral.

También los decorados se maravillan ante la mujer-flor y le riden culto: / *Los espejos parecían vibrar al encanto de aquella visión paradisiaca; las flores del tapiz parecían alzarse para besar en las plantas desnudas, aquella flor de carne más bella que las rosas tropicales.* /

Si "la enredadera blanca", se puede transformar en extrema flor de decadencia, "libélula de fango", en "rosa de los pétalos del deseo". La flor del mal es sólo la manifestación del erotismo camaleónico de la mujer.

Rodearse de flores es rodearse de la tentación del potencial orgiástico de la mujer; así en **María Magdalena** encontramos flores que son llama: "**Un tulipán rojo,** no es acaso una copa de fuego"? María Magdalena vestida de rojo entre la multitud que escuchaba a Jesús "**parecía un tulipán, ondulante en la luz difusa**", flor solitaria que desea convertirse en luz, llamar la atención por su color, porque es flor que enciende, fuego que florece, copa que invita a ser bebida[49].

Rojo que simboliza la pasión y el deseo. Rojo que es a la vez el color de la llama. Magdalena flor roja, fuego que huye si se lo persigue y persigue si se le huye. Los colores y su percepción no son solamente elementos que localizan el objeto, sino que también revelan su significado íntimo, su simbolismo sentimental.

En **Ibis**, cuando Adela y Teodoro se marchan a Toledo huyendo de los anónimos que la acusan de adulterio, el jardín de su casa está lleno de flores: rosas, azucenas, tulipanes, amapolas, claveles, malabares y nardos que saturan la atmósfera de "perfumes mareadores", conforman el escenario donde la traición, el engaño y la obsesión sexual de Adela se manifiesta naturalmente. Total, Adela es: */la gran flor roja y triste de la Histeria que se abre abre opulenta y mortal.* La mujer se convierte en la personificación de los pecados de la carne.la continua aseveración de que la mujer es una flor fascinante pero a la vez dañina, le permite al maestro escribirle a Teodoro una de sus más interesantes *misivas: Y la mujer es perfume y armonía y licor. Deleita, encanta y embriaga. Gózala hasta dejarla exhausta de perfume, hasta arrancarle la última gota del vino capcioso del Amor. Y después bota la flor marchita. El mal está en su naturaleza, como el veneno en el jugo de ciertas plantas./ Ella lo ignora. Esparce el mal como la planta exhala su perfume. Es inconscientemente trágica./*

La imagen pone de manifiesto una particular manera de relacionarse con el género femenino: una vez seducida hay que abandonarla. De esa manera, se evita el daño que produce el Amor por una mujer. Situación que hasta el momento parece tener vigencia.

La "mujer fatal" de Vargas Villa, es una peligrosa transgresora de la moral establecida, gracias a una decidida ambigüedad en sus relaciones que en el fondo son la médula misma del onirismo psicoanalítico. Devoradora y Devorada, solitaria, llama que quema y que la envuelve a si misma, la mujer bajo las sombras Vargasvilianas se erige en soberana de una aventura en la que el poder y la agresividad se convierten en una insinuación, en simples atributos de un complejo autodestructivo que pareciera cotidiano.

En ambas novelas, el lector se encuentra ante una violencia soterrada que incide en las relaciones sentimentales hasta el extremo de instaurar una guerra de sexos, en la cual aparentemente gana el sexo "fuerte" que en estos dos casos es el femenino, puesto que los protagonistas masculinos se suicidan o mueren, a causa de ellas.

Notas

[34] LOMBROSO y FERRERO. *The soul of woman; reflections on Life,* New York, 1923. p. 159

[35] JUNG,Carl Gustav. *Símbolos de transformación.* Buenos Aires: Paidós,1962. p.193

[36] TRIVIÑO, Consuelo. *Op. cit.* p. 62

[37] DURAND, Gilbert. *Las estructuras Antropológicas de lo Imaginario.* Madrid: Taurus, 1981. p. 185.

[38] ROSSETTI, Dante Gabriel. *Poems,* Londres: J. M. Dent, Everyma's Library, 1961. p. 23

[39] MARIAS, Julián. **La mujer en siglo XX.** *Madrid: Alianza, 1980,* p. 103

[40] DURAND, Gilbert. *Op. cit.* p. 81

[41] *Ibid.* p. 83.

[42] *Ibid.* p. 192

[43] SCHEMAN, Noami. *Missing Mothers / Desiring Daughters: Framing the sight of Women. Critical Inquiry (Autumn 1988)* p.88.

[44] MARIAS, Julián. *Op cit.* p. 220.

[45] AISENSON Kogan, Aida. *Cuerpo y persona. Filosofía y filosofía del cuerpo vivido.* México. Fondo de Cultura Económica, 1981. p. 279.

[46] FOUCAULT, Michael. *Historia de la sexualidad. Editorial Labor. p. 310.*

[47] CASTELLANOS, Gabriela. *Eva y María*. Magazin Dominical No. 56, Abril 22 de 1984.

[48] PAZ, Octavio. *La llama doble*. México: Seix- Barral, 1993. p. 21.

[49] BACHELARD, Gaston. *Ante la llama de una vela*. Barcelona: Monte Avila Editores, 1980. p. 28.

EL SIMBOLISMO DE LA CABELLERA

> *Hay una mujer a la que odio y amo*
> *Esta es mi pena: ha rodeado mi cuello*
> *con el lazo de sus largos cabellos, y ha rodeado*
> *mi alma con la zoga de mis sueños*

> ARTHUR SYMONS

ANTECEDENTES DE LA IMAGEN

l culto de mediados de siglo XIX a la mujer super-femenina había producido un énfasis cada vez mayor en las cabelleras largas y doradas, dando como resultado la creencia de que el cabello largo era una gloria para la mujer. Sin embargo, a finales de siglo el cabello de las mujeres acabó siendo interpretado como un signo de la debilidad intelectual de ésta y de su materialidad regresiva. Teniendo en cuenta este aspecto poetas y pintores hallaron en las cabelleras femeninas un medio particularmente adecuado para la repre sentación simbólica de los peligros de la "enredadera colgante", haciendo que Oscar Wilde, por ejemplo, recalcase con presunción: *"Enredar mi alma en el pelo de una mujer /y ser un mero y servil lacayo de la fortuna, juro /que no me atrae "*[50].

La imagen de la "enredadera colgante", venía del idealismo neoplatónico que aconsejaba a la mujer "estar al lado de su hombre", ya que su única identidad podía surgir de éste, el cual era el tronco, la erguida *figura,* de la cual ella era su "objeto" colgante o su satélite.

El problema con la "enredadera colgante" era que ésta tendía a asfixiar y doblar al tronco principal, no en vano la advertencia: *"Enrédate en tu amado, ¡pero como una guirnalda de flores, no como una cadena "*.[51] La mujer debía colgarse del hombre, pero a la vez, debía evitar tentarlo más allá de su capacidad para resistir sus seducciones. Por lo tanto, las mujeres que se aferraban a los hombres y los arrastraban hacia abajo en inevitable caída se convirtieron en uno de los motivos más reiterados en el arte de la década de 1890. La lucha entre las fuerzas superiores e inferiores que movían a la humanidad, entre los elementos femeninos y masculinos, que, como hemos visto, a menudo eran imaginados como opuestos en un combate, recrudeció la lucha de los sexos.

El pintor John William Watherhouse, inspirado en la balada de J. Keats *"La Belle Dame San Mercí"*, presenta en su cuadro a una: *"bella doncella de purísimo rostro. Sentada en suelo de un boscaje, que mira con una intensidad casi hipnótica al caballero con armadura, a quien va acercando hacia sí con una madeja de pelo, que a modo de lazo, le ha tendido alrededor del cuello. Este arrodillado y casi vencido, intenta resistirse al hechizo de la Belle Dame asiéndose a la rama de un árbol desnudo.*"[52] Aquí nos encontramos con algo más que una imagen de enredadera que se aferra al tronco para adherirse a él; vemos una criatura serpentina, un extraño y seductor monstruo de la belleza atrapando al aterrorizado hombre con la trampa doble de sus ojos hipnóticos y su cabellera, la cual hace las veces de lazo simbólico.

Los románticos, a su vez, encontraron en la cabeza de la medusa una nueva fuente de inspiración, que a la vez señaló el apogeo de la estética de lo horrendo y lo terrible. Como afirma Praz: *"El descubrimiento del Horror, como fuente de deleite y de belleza, pasó a ser, en lugar de una categoría de lo bello, en uno de los elementos propios de la belleza"*.[53]

El aspecto de una cabellera formada por reptiles, impresionó tanto el espíritu de Shelley que escribió un poema que recoge el concepto de belleza propio de los románticos:

"De la cabeza como si fuese un solo cuerpo, brotan, semejantes a la hierba que nace en la roca húmeda, cabellos que son víboras; se entrelazan y caen, tejen nudos entre sí y aquella intrincada maraña muestra su esplendor metálico, como para burlarse de la tortuga y la muerte de interiores. Es la tempestuosa hermosa del terror. Las serpientes expanden un brillo cobrizo encendido en la intrincada maraña, como un halo vibrante, móvil espejo de toda belleza y de todo el terror de aquella cabeza; un rostro de mujer con

*viperinos cabellos, que en la muerte contempla el cielo
desde aquellas húmedas rocas.*

It is the tempestuous Loveliness of terror... "⁵⁴

Serpientes por cabellera, que representan la belleza contaminada
y engañosa donde la corrupción penetra cada rasgo de la mujer
que además de ser símbolo animal, es la figura de la líbido.
Versos como el citado parecen señalar el apogeo de la estética
de lo horrendo y lo terrible, que se había desarrollado a finales
del Siglo XVIII.

Jung escribe: *"Indistintamente, el pájaro, el pez, la serpiente
eran entre los antiguos símbolos fálicos"*, esto le permitió
a Freud en un análisis de la Medusa, afirmar que las serpientes
de la cabeza son sus sucedáneos del pene, y como, según su
interpretación, la multiplicación de los símbolos fálicos significa
la castración, el terror y fascinación por la Medusa, será por
consiguiente, el terror y la castración.⁵⁵

Posteriormente, la cabellera trenzada pasó a representar a la
mujer fuerte y belicosa, a tal punto que el poeta Swinburne
hace que Attea advierta a Meleagro lo peligroso que puede ser
amar a una mujer fuerte: *"Ni el fuego, ni el hierro, ni las
guerras/ son tan devastadoras como sus labios i su pelo
trenzado./ Porque de uno surge el veneno, y una maldición
cae del otro y arrasa las vidas de los hombres"* ⁵⁶.

En lo que se refiere a la **"mujer fatal",** hay una coincidencia
en describirla provista de una larga y abundante cabellera que
simboliza la peligrosidad y también la fascinación y horror que

ejerce sobre los hombres: *"Guárdate de su hermosa cabellera, la única gala que luce. Cuando con ella atrapa a un joven no lo suelta fácilmente"*[57]. Es la advertencia de Mefistófeles a Fausto, para prevenirlo de Lilith, una diablesa de asirio babilónico, que según las tradiciones Kabalistas es la madre de los abortos, homosexualismo y en general madre de la belleza maligna. Lilith es la primera mujer que se revela contra el hombre terrenal y también contra el hombre celestial al abandonar a su esposo Adán, motivo por el cual responsabilizaron del mal que afligía la humanidad.[58]

CABELLERAS MASCULINAS

Como símbolo plurivalente, la cabellera se convierte en imagen sugestiva llena de posibilidades interpretativas, relacionada tanto con las fuerzas superiores como con las inferiores. Si los cabellos están en la cabeza pertenecen al orden superior, pero si están en los brazos y zona púbica, son de orden inferior. Por tal razón es común presentar a un Adán lampiño antes del pecado original y luego con barba y bello corporal.

Cuando la cabellera pertenece a un hombre se presenta en estrecha relación con la fuerza vital. Schure, recuerda que los niños consagrados a una misión profética, por deseo de su madre antes de su nacimiento, eran llamados Nazarenos y no se les cortaba el cabello, ese fue el caso de Sansón y Jesús: *"Un ángel anuncia a la madre de Sansón que va a quedar en cinta; que dará a luz un hijo que no se cortará el cabello, porque el niño será nazareno desde el seno de su madre; y él será quien comenzará a libertar a Israel de yugo de los* **filisteos**".[59] La analogía con la anunciación de María, es evidente. En ambos casos se necesita de una mujer que por la aptitud de su moral, por el deseo de su alma y la pureza de su vida presente, atraiga, encarne en su sangre y en su cuerpo el alma del redentor, además, tanto Sansón como Jesús usarán cabellos largos como expresión de sus poderes superiores.

Aunado a lo anterior, también la cabellera masculina tiene un sentido de fertilidad. Orígenes decía: *"Los nazarenos no se cortan el cabello porque todo lo que hacen los justos prospera y no caen sus hojas"*.[60]

En la novela **María Magdalena,** los sentidos de fertilidad, dignidad y elevación de la acabellera del nazareno, son invertidos por Vargas Vila al presentar a Jesús de la siguiente manera: / *Los cabellos castaños mal peinados, le caen en bucles desordenados sobre los hombros, con el desaseo natural de los hombres de su secta y de su raza; la barba escasa, hace uno como cerco de oro oxidado, el rostro demacrado; rostro de asceta.* La cabellera de Jesús ha sufrido una transmutación de valores, ya no pertenece al simbolismo de nivel superior por hallarse en la cabeza y por encarnar a un divino profeta destinado a cambiar la faz del mundo, alma divina, ahora es el símbolo de la suciedad.

"Suciedad" que, en palabras de Nietzsche, es *"la jerarquía de los bienes que decide el carácter de la moralidad o inmoralidad, según que un egoísmo bajo, superior, muy refinado, desea una cosa u otra"*[61], por lo tanto hay que limpiar a la humanidad de todo lo que significa practicar la obediencia hacia una ley y una tradición cuyo modelo es la virtud, "virtud" que se acomoda a las diferentes épocas históricas y que encadena al ser humano.

Además la descripción le confiere una gracia femenina, que le permite a Vargas Vila, dar la primera señal para posteriormente insinuar una relación amorosa entre Jesús y su discipulo Juan. Así el símbolo más virtuoso del cristianismo se convierte en el símbolo de la degradación, suciedad que se arrastra entre la multitud que lo sigue. Degradaciones que son características de la visión carnavalizada del mundo, lo cual le permite realizar una parodía sacra de la imagen.

MAGDALENA: CABELLERA DE AGUA Y FUEGO

Llama tumulto alado,
oh soplo, rojo reflejo del cielo.
quien descifre tu misterio
conocerá el secreto de la vida
y de la muerte...

MARTÍN KAUBISH

Si Keats y Waterhouse habían hecho referencia a la cabellera - lazo, Vargas Vila, con éste y otros referentes de la época; construye una imagen dinámica de la cabellera. Gracias a la mirada de este escritor la cabellera se transforma rápidamente en agua y en fuego, elementos antagónicos, que combinados adoptan múltiples formas. En ésta multiplicidad y en los detalles de las imágenes es donde se siente la función creadora de un soñador de la llama.

Entre todas las imágenes de fuego, las de la llama —tanto las más sencillas como las más elaboradas— llevan en sí, una forma de poesía: la poesía del asombro, de la admiración originaria. La presencia de la llama es imponente, seductora. Abarca el espacio de la mirada: luz y brillo hipnótico que invitan a soñar con posibilidades fantásticas que convergen en su sola imagen. Es un ser fuerte y a la vez tenue. Soledad o compañia que motiva al soñador de palabras a buscar conjunciones insólitas. Y como buen soñador de la llama, Vargas Vila logra el matrimonio de dos elementos: por el fuego yang, por el agua yin, nupcialidad alquímica que manifiesta una marcada eroticidad, la necesidad impostergable de calor compartido, de frotamiento de cuerpos en búsqueda del fuego húmedo. Cuando dos sustancias se unen se sexualizan y lo crean todo.

Así de esa síntesis creadora emerge la cabellera de Magdalena: **Su cabellera es como una llama de alcohol, prendida en las palideces del cielo.** La llama producida por el alcohol es azulada en su comienzo y rojiza en la parte que asciende hacia el espacio. Es humedad cálida, ambivalencia materializada. Por su parte el verbo prender, refuerza el sentido de la criatura que da luz y también de aquello que se queda sostenido en algún lugar, en alguna parte. Esta cabellera, una llama móvil, es alcohol flameante que danza en la superficie del cielo, dotada de una dulzura muda. Llama inestable que el menor soplo de aíre puede apagar.

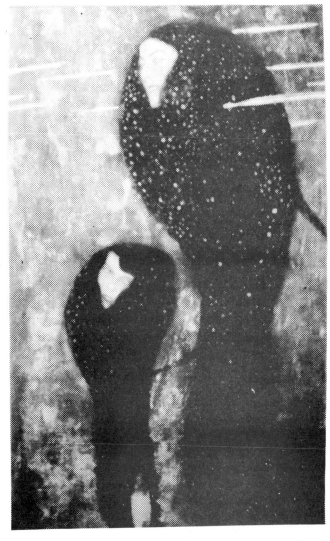

GUSTAV Klimt, **Ondinas,** 1899 (Foto Margaret Bonilla)
Con estas formas acuáticas nos adentramos en un mundo de
evocaciones y referencias sexuales.

Otras veces, la cabellera es el elemento que arde en la oscuridad de la noche: *ella avanza el busto hacia afuera, y su cabellera semeja una oriflama desplegada en la noche, una llama, tendida hacia la sombra...* Sueño en rojo y negro. Movilidad que capta la atención de quien la percibe pero que también por su rápidez se oculta a la mirada. Espacio que se mueve, tiempo que se agita. Cuando el aire se encuentra con la llama, hace que ésta flamee y se extienda en forma horizontal. De igual manera la cabellera de Magdalena se expande en la negrura de la noche, empujada por el movimiento de su cabeza.

La llama nace fácilmente y muere fácilmente. Vida y muerte pueden coexistir en ella, estar co-presentes en su imagen. Morir por amor, en el Amor, como la mariposa que se abrasa en el corazón de la llama ¿no es acaso lo efímero que nos brinda una lección de eternidad? La llama que se extiende enciende el amor que es otra forma de morir. Tomar el camino de la llama, perderlo todo, enardecer y otorgarle su vida parece ser el destino de Judas:

> *Bajo el poniente de oro fluído de tu cabellera suelta; mi deseo virgen, te siguió en la hora silenciosa... Y, esa boca que me enseñó el Amor, me ordena hoy el olvido?... el Olvido duerme en tu corazón, Magdalena, por eso olvidas que en la llama blanca de tu cabellera, quemé algo más que mi amor, quemé mi vida; en ella quedaron enredados por igual las lágrimas de mi Madre, las maldiciones de mi padre, y los jirones de mi propio honor.*

Encontramos en este pasaje, la cabellera como altar de sacrificio, conjunción de amor, muerte y fuego. Esto nos recuerda el "complejo de Empédocles" descrito por Bachelard, donde se "une el amor y la reverencia por el fuego, el instinto de vivir y morir"[62] y Judas lo siente en carne propia porque ha cedido al poder de la llama dorada. Cabellos que hacen sufrir, y enredan lágrimas, cabellos que queman el alma del que cede al poder de la llama dorada. Todos sucumbirán a su encanto. Morir por Amor será el destino de los que la amen.

En este sentido, Jesús tampoco es inmune a la llama. Llama que invade su mundo de hombre solitario y exalta sus sentidos. Por tal razón no duda en defenderla de la multitud que quiere lapidarla. No vacila en nombrarla su única pariente cuando es increpado por su madre. Magdalena es su Madre, su Padre, su Hermano y su Hermana. La misión del nazareno es seguirla a donde vaya hipnotizado por el resplandor de sus cabellos: *Y, siguió su camino, como hipnotizado por el fulgor de oro de la cabellera de la Pecadora, que iba delante de él.../ Así como una estrella, prendida en la caude de una cometa.*

La imagen de Jesús, estrella atada a Magdalena por las hebras de oro de la cabellera femenina, nos remite a la del lazo, que es la imagen directa de las ataduras temporales. Los lazos, las cuerdas, los hilos tienen que ver con la condición humana ligada a la consciencia del tiempo y a la maldición de la muerte. Lazos que pueden tener sentidos negativos, en la medida en que están relacionados con las divinidades de la muerte: Ahriman, Aranda y otras. Por otra parte, Elíade[63] establece una interesante correspondencia etimológica entre "atar" y "embrujar": en latín fascinum, el maleficio, fascia, el lazo. Como símbolo negativo, el lazo es la potencia mágica y nefasta de la mujer fatal. Y

Magdalena como una de ellas, embruja al nazareno y lo arrastra en fatal caída.

La cabellera también está relacionada con el agua y como bien subraya Bachelard[64], lo que evoca la imagen del agua que fluye, es el movimiento del cabello, la manera de ir de un lado a otro rítmicamente o de desgajarse a manera de cascada. Desde el momento en que ondula, la cabellera entraña la imagen acuática y viceversa. La onda se convierte en la animación secreta del agua: *La mano de Jesús se perdió en la cabellera blonda, como en las ondas de un Jordán luminoso y profundo.*

El movimiento de profundidad del agua se hace presente en la imagen de la cabellera que se descuelga y cae a borbotones. Caída que se produce sobre las rodillas de Jesús y le otorga a la mano el poder de perderse y sumergirse en ese insondable misterio: *Los primeros alcanzaron a ver a Magdalena, la cabeza apoyada en las rodillas del Cristo, y, la mano de éste perdida en la masa fluvial de sus cabellos.* Las hebras de cabellos semejan ríos que corren desde las rodillas del Cristo hasta perderse en el suelo. Agua cantarina, que se regocija de su recorrido victorioso. Agua mansa, que cubre las piernas del ser amado.

El cisne, en literatura, es la desnudez permitida, es la blancura de un cuerpo que se exhibe en el agua. La función erótica del río es evocar el deseo por la desnudez femenina. Deseo que se transforma en una orden seductora: *Tu cabellera Magdalena, no la cortes. Y hunde sus manos en la masa triunfal de los cabellos, Y, la mano se pierde en las crenchas luminosas, como el alma de un cisne que se hundiera en un lago de topacio.* Cabellera que puede transformarse en lago para que Jesús pueda sumergirse en ella. La mano-cisne, pertenece más a la ensoñación que a los sueños nocturnos. Lleva el sello de una imaginación impulsiva, es la imagen opuesta del cisne que se eleva y nos lleva hacia el cielo, aquí se hunde en invitación a la profundidad del agua, invitación a la íntima seducción de la imagen.

En el siguiente ejemplo, la cabellera es agua abundante, que corre siguiendo el curso demarcado por el cuerpo femenino, riachuelo de sol gracias a los reflejos de los cabellos de oro que entran en contraste luminoso con la blancura del cuerpo: *Los raudales de su cabellera, envuelven en un manto sutil de oro, el tesoro de su cuerpo de marfil...* La imagen está cargada de una eroticidad dinámica, suscitada por el movimiento envolvente de la cabellera y la quietud del cuerpo de mujer, extendido sobre cojines. Es agua primaveral que enmarca la belleza de las formas femeninas. Agua abundante, como lo señala la palabra "raudales".

Dentro de la combinación agua-fuego podemos ver la cabellera como agua vigorosa en la cual se hunden los pies del ser amado. Cabellera que moja y a la vez seca, cabellera de fuego suave que acaricia: *La Pecadora desanudó su cabellera, que se esparció en ondas indóciles sobre la tierra, y, enjugó el bálsamo vertido sobre los pies... Centellaron los cabellos, como una llama suave que lamiera el suelo, y los pies del Nazareno, parecían hundidos en Tiberiades de oro.* Esta imagen polivante, encierra en sí, la noción de "lavar", acción que está asociada con la de "purificar", aquí conjugada con la secar o absorver, característico del agua que cae a tierra.

La cabellera de Magdalena, se transforma en indómita onda, movimiento enérgico. Caída voluptuosa que a su paso lava los pies de Jesús, en mar de fuego lento, conjunción de agua y llama que no se conforma con tocar los pies del hombre, sino que los lame en gesto de sensual caricia, hasta que parecen sumergidos en agua dorada. El erotismo de cada una de estas imágenes de agua - fuego, son suscitadas por el movimiento de la cabellera: unas veces envolvente, otras ondulante o fugaz.

También encontramos la cabellera como llama que arde en las entrañas del árbol. Vida que palpita resplandeciente. Arbusto rosáceo; zarza incendiada portadora de fuego. Asociada con lo aéreo, por su crecimiento vegetal que es ascendente y vertical. Con el fuego, por la hoguera que producen sus ramas avivadas por el aire. Con el agua, porque corre como arroyo cantarino:

> *Así con el rostro contra el suelo, extendida por tierra, bajo la cabellera luminosa, a los pies del maestro, semeja una zarza incendiada, en lo más hondo de un monte, un arroyo de lava ardiente corriendo en el corazón infinito del crepúsculo.*

Fuego húmedo, líquido ardiente que corre por el infinito del crepúsculo, claridad que precede inmediatamente a la salida del sol, o que sigue a su puesta. La ambivalencia de los elementos: fuego purificador-fuego sexualizado, día-noche, agua que lava-agua que quema, permite la multiplicidad de interpretaciones. A primera vista, parece que la imagen corresponde al fuego purificador que "limpia" las culpas de Magdalena y simboliza el arrepentimiento de una *"paloma cegada por las llamas de un incendio"*, pero también expresa la tonalidad excitada de una mujer cuya cabellera se incendia, cual arbusto en el monte, atizada por el deseo que siente por Jesús.

El ala, atributo esencial de la volatilidad, también se hace presente en la cabellera de Magdalena. Dice Bachelard[65], que la fuerza de las alas consiste en poder elevar y conducir lo pesado a las alturas, al unirse a la llama se transforma en pájaro llameante, en fulgor aéreo, fascinante imagen que captura la atención del nazareno: *Alza maquinalmente los ojos hacia la ventana, donde la cabellera de Magdalena, hace reflejos de una llama en el vacío, como dos grandes alas de oro, en el espacio silente.*

Para la imaginación material, la espiga dorada es un poco de materia ígnea. En Vargas Vila, la reverberancia de los trigales en estío también se producen en la cabellera de Magdalena porque es retazo de sol, reflejos dorados en el campo, calidez que bulle en una cabellera : *Y el cabello reverberante con una reverberancia de los trigales en estío.*

La cabellera puede opacar al sol y convertirlo en un tizón moribundo, en una pavesa extinguida. Ganarle en brillo, color, tono y belleza: *Ante el oro glorioso de tu cabeza, el sol es un tizón extinto y sin belleza, de sus destellos no se haría ni unsola hebra de tus cabellos.*

A diferencia de sus antecesores, Vargas Villa no hace énfasis en el gusto por lo horrendo (cabellos medusinos) por el contrario, la cabellera de Magdalena, es hermosa, seductora, mezcla de agua, fuego y aire, lo cual la hace sugestiva, ambivalente, lazo que ata, hilo que se entrecruza en el camino de Jesús, para devorarlo en su llama.

Estas imágenes del lenguaje encendido, muestra un Vargas Villa de tonalidad excitada, un soñador de fuego y llama y "*todo soñador de llama es un poeta en potencia*". Escritor que en esta novela a pesar de lo dicho por muchos de sus críticos, no tiene afán de complacer al público, en detrimento de la calidad literaria sino de entregar imágenes - pensamientos que se enuncian en frases resplandecientes, logrando una proeza expresiva insospechada[66].

ADELA: CABELLERA VEGETAL

Si en **María Magdalena**, Vargas Villa hace derroche de imágenes de fuego con la cabellera de Magdalena, no ocurre lo mismo con Adela en **IBIS**. Como habíamos señalado anteriormente, en la primera parte de la novela, Adela cubre sus cabellos dada su condición de virgen - novicia - piadosa. Esa blanca aparición, esa virgen romántica lánguida, como las rosas del otoño, bella, con belleza ideal, con mirada profunda y ardorosa, de una feminidad exquisita y turbadora no expone sus cabellos a la mirada masculina.

Nuevamente aparece la imaginación vegetal, esta vez son las flores, los arbustos los que hacen la imagen de la cabellera;

bosques y flores *"misteriosos y sensuales como almas de mujer."* Si Waterhouse hacía evidente la representación de la cabellera-lazo, Vargas Vila es sugestivo y simbólico: cambia la imagen del caballero por arbustos *"con esbelteces de efebos, floreciendo bajo abrazos de enredaderas tupidas que los envuelven, los abrazan, los coronan de flores y dejan caer sobre ellos su follaje como cabelleras de cortesanas cansadas sobre los cuerpos flébiles de adolescentes violados".* La mujer está representada en la enredadera y mantiene su peligrosidad. Además, este es el escenario que motiva el primer beso entre Adela y Teodoro, beso que se convierte en el lazo que atará al joven al Amor.

Por tal razón, la cabellera de Adela es selva, oscuridad profunda, laberinto que nos pierde, vegetación exhuberante: *Apoyada la frente en su gran mano diáfana cuyos dedos se perdían en la selva de sus cabellos que daban reflejos metálicos de aureo casco.* Se alcanza a percibir algo de dureza en la imagen anterior, producida por la palabra "metálico". La imagen de la cabellera de Adela no tiene la vivacidad del fuego. En ese sentido podría decirse que es densa.

La cabellera de Adela es abundante, espesa, profunda y por lo tanto está asociada con lo misterioso. A pesar de ser también dorada no es tan clara como la de Magdalena. Tiende a un rubio oscuro, color de trigo seco: *Y, bajo el ojo áureo de las bujías a reflejarse en el esplendor mórbido de su cuerpo y en el oro oscuro de su cabellera como sobre el haz de espigas que rodea el cuello de una Ceres.* Predomina la corporeidad de Adela sobre la cabellera. Esta última es solo un pretexto para realzar las formas femeninas.

Hay tan sólo una imagen de agua en la cabellera de Adela: *Desanudó su cabellera tumultuosa, que cayó en ondas de oro sobre su cuerpo semidesnudo.* Cabellos dorados que son al mismo tiempo símbolos de las ataduras. En la Biblia abundan las alusiones a las "ataduras de la muerte", en los Salmos, XVIII; Ezequiel, XII, 13; Lucas, XIII, 16. Cabellos que caen ondulantes sobre un cuerpo de mujer, cabellos largos como corresponde a la iconografía de la mujer fatal. Signo microcósmico de la onda e imagen medial que sirve para trenzar los primeros lazos.

La vida y su expresión erótica se encuentran en una lucha permanente entre Eros y Tánatos, algo de lo que Vargas Vila está profundamente persuadido. El lector puede sentir fascinación por la voluptuosidad y belleza de las mujeres que describe, por las imágenes de agua y fuego fusionadas en la cabellera de Magdalena, lo cual convierte a nuestro escritor en autor de poéticas y sugerentes imágenes.

Notas

[50] WILDE, Oscar. *The complete writing of Oscar Wilde*. Nueva York, 1907-9, Volúmen V. p.

[51] Citado por Bram Dijkstra. *Idolos de perversidad*. Círculo de Lectores. Barcelona, 1994. p.

[52] BOURNAY, Erika. *Las hijas de Lilith*. Cátedra. Madrid, 1990. p. 228

[53] PRAZ, Mario. *La carne, la muerte y el diablo*. Monteavila. Caracas, 1970. pág. 45.

[54] Citado por Mario Praz. *Op. cit.* p. 43-44.

[55] Citado por Gilbert Durand. *Estructuras antropológicas de lo imaginario*. Madrid: Taurus, 1981. p. 101.

[56] Citado por Bram Dijkstra. *Op. cit.* p. 269.

[57] *GOETHE, J.W. Fausto*. Editorial Aguilar. Madrid. pág. 205

[58] *En la tradición oriental, como princesa de los súcubos, fue, en primer lugar, una seductora y devoradora de hombres, a los que atacaba cuando estaban dormidos y solos. Según el esoterismo crístico, en los misterios del ocultismo se encuentran los dobles: el amor y contra-amor: "Anael es el ángel del Amor, Lilith representa el contra-amor, es su doble tenebroso. Lilit el hermano rival de Anael, es su Antítesis fatal, es un niño terriblemente maligno, de cabellos desordenados".*

Como se puede observar, dependiendo de qué enfoque se utilice, la imagen de Lilith no siempre fue la de mujer, pero en este estudio usaremos las versiones de los grandes Kabalistas que dicen que

Adán tenía dos esposas: Lilith y Eva. Revisar a AUN WEOR, Samuel. Matrimonio perfecto. Colección Iris. Bogotá 1980. pág. 35-36.

[59] SCHURE, J.M. *Jesús y los escenios.* Buenos Aires: Editorial Kier, 1981. pág. 27.

[60] Citado por Pinedo, Ramiro. *El simbolismo en la escultura medieval Española.* Madrid: Editorial Labor, 1985. pág 121.

[61] *NIETZCHE, Federico. Humano demasiado humano.* Editorial Bedout, 1975. pág. 56

[62] *BACHELARD, Gastón. El agua y los sueños.* Fondo de cultura Económica. México, 1974. p. 221.

[63] Citado por Gilbert Durand. *Estructuras antropológicas de lo imaginario.* Madrid: Taurus, 1981. p. 98.

[64] *BACHELARD, Gastón. Op. cit. p.*

[65] *BACHELARD, Gastón. La Llama de una Vela.* Monte Avila Editores. p. 28.

[66] *ROJAS Perez, Guillermo. Vargas Vila.* Renacimiento. Manizales, 1966. p. 61.